Ogräs i odlingshistoriens tjänst

Paleoekologiska forskningsmetoder
och -resultat med exempel från
Norra Bottenviksområdet

Av Hans Sundström

NORRBOTTENS MUSEUM

BOTHNICA 2
Skrifter utgivna av Norrbottens museum

Omslag: Ingrid Franklin och Hans Sundström
Omslagsfoto: IBL AB, Ljungbyhed/Åke Lindau

Denna framställning har tidigare publicerats i Faravid 6-82, Pohjois-Suomen Historiallisen Yhdistyksen Vuosikirja VI/Acta Societatis Historiae Finlandiae Septentrionalis VI, Oulu 1983.

ISBN 91-85336-28-9
ISSN 0281-0735

Tryck: Kirjapaino Osakeyhtiö Kaleva, Oulu/Uleåborg 1983

Förord

Mina strövtåg i Norrbottens förflutna har skett som ett avhandlingsarbete inom ämnet historia. Det skriftliga materialet visade sig snart vara en otillräcklig vägvisare. Resultat inom bl a paleoekologisk forskning gjorde det dock möjligt för mig att nyfiket hitta vidare. Den nyfikenheten har kostat mig åtskilliga timmars mödosamma litteraturstudier. De paleoekologiska forskningsresultaten är ofta svårtillgängliga för läsare utan speciell skolning i disciplinens metoder och terminologi. Avsikten med denna skrift är att förse desorienterade medresenärer med en enkel vägledning. Förhoppningsvis kan Ni därigenom besparas några av alla de timmar jag själv lagt ned på att hitta vägen vidare.

Även en skrift av det här blygsamma formatet är ett resultat av många människors insatser. Som ansvarig författare vill jag gärna tacka några av dem här.

Föreliggande framställning var ursprungligen ett alltför stort kapitel i mitt avhandlingsmanuskript. Nu är den en liten bok. Professor Kyösti Julku, Uleåborgs universitet, har övertygat mig om värdet av att till trycket befordra nämnda kapitel separat och i obeskuret skick, vilket härmed göres. Hans är skulden eller förtjänsten.

Redaktionen för *Faravid,* Historiska institutionen vid Uleåborgs universitet, ställde generöst utrymme till mitt förfogande samt har välvilligt medgivit att särtryck av artikeln nu utges separat. Speciellt vill jag härvid nämna redaktionssekr. Kirsti Närhi som lyhört befordrat mina intentioner med text och bildmaterial till tryckeriet. Trots att manuskriptet varit avfattat på ett främmande språk har Kirjapaino OY Kaleva gjort ett förstklassigt tryckeriarbete och reducerat mina korrekturbekymmer till ett minimum.

Landsantikvarie Kjell Lundholm, Norrbottens museum, har intresserat tagit del av manuskriptets framväxt. Han har också slutligen berett möjlighet för mig att nå en vidare läsekrets genom att låta framställningen ingå som nr 2 i Norrbottens museums nystartade skriftserie *Bothnica.*

Jan Moen, Information/Bild/Läromedel AB i Ljungbyhed, har hjälpt mig att få fram Åke Lindaus färgbild, vilken återfinns på bokens omslag.

Fru Birgit Johannsen, Lund, har med yttersta noggrannhet renskrivit manuskriptet och därvid även lämnat värdefulla synpunkter på framställningens språkliga utformning.

Forskningsmiljön vid Historiska institutionen i Lund stimulerar till tvärvetenskapliga kontakter. Bland mina forskarkamrater i Lund vill jag särskilt framhålla Anders Persson och Sten Skansjö samt inte minst Eva Österberg. Dessa har alltid varit beredda att diskutera tvärvetenskapliga problem även för en nordlig trakt som är dem främmande. Eva har dessutom sin vana trogen lämnat en rad förslag till manuskriptets förbättring.

Allra främst vill jag dock tacka fil dr Mervi Hjelmroos-Ericsson, Kvartärbotaniska laboratoriet i Lund. Mervi har tålmodigt lyssnat till en historikers funderingar kring för henne självklara förhållanden. Hon har även frikostigt låtit mig ta del av ännu inte publicerat forskningsmaterial samt färdigställt diagram speciellt för denna framställning.

Min hustru, Mary Deutgen, har slutligen på sitt sätt bidragit till att vandringar i skog och mark blivit mer än torra botaniklektioner.

Till er alla vill jag rikta ett varmt tack!

Luleå i de gnistrande skidspårens tid,
Lund i de vårfuktiga fotbollsplanernas, 1983

Hans Sundström

Hans Sundström

Ogräs i odlingshistoriens tjänst

Paleoekologiska forskningsmetoder och -resultat med exempel från Norra Bottenviksområdet

Inledning

"Ugresspollen og pollen av kulturplanter røjer den innvandrende jordbruker om han enn aldri så godt har klart å gjemme seg for arkeologen og historikeren."

(Knut Faegri)

Syftet med denna framställning är att beskriva några paleoekologiska[1] forskningsmetoder samt diskutera vilka resultat som kan nås med hjälp av dem, och hur dessa resultat kan inordnas i bebyggelsehistoriska undersökningar. Det senare sker genom exempel från en bebyggelsehistorisk undersökning där huvudproblematiken kortfattat kan sägas vara att kartlägga den bofasta bebyggelsens framväxt i norra Bottenviksområdet och då speciellt i nuvarande Norrbotten med Tornedalen. Men det är först i och med 1500-talets landskapshandlingar som det skriftliga materialet blir informativt i vidare mening. Då finns redan bygden där. Tusentalet skattebönder är då registrerade i 140 byar där den byarna tillhöriga odlingsmarken är av ansenligt format.[2] Bebyggelsen är utbredd i hela kustlandet och en bra bit uppefter älvdalarna. Hur har då denna bebyggelsebild uppstått? Den frågan är inte särskilt lätt att besvara enbart med utgångspunkt från skriftligt material. Det hindrar inte att försök har gjorts. Men det finns inte något skriftligt material gällande området bevarat från tiden före 1300. Även för återstoden av medeltiden är den skriftliga dokumentationen sparsamt förekommande. Inom tidigare historisk forskning har man ändock på basis av dessa fåtaliga och svårtolkade skriftliga uppgifter försökt rekonstruera bebyggelseutvecklingen fram till mitten av 1500-talet.

---

[1] Av utrymmesskäl skall vi här undvika en djupare diskussion av begreppet "paleoekologi". Dessutom framgår begreppets innebörd indirekt av den diskussion som förs genom större delen av föreliggande framställning (spec. nedan s. 21 ff). Vi kan här kortfattat definiera paleoekologi som läran om det forntida samspelet mellan den geografiska och biologiska miljön samt mellan dessas enskilda delar.

[2] Siffrorna avser nuv. Norrbotten men bebyggelsebilden är densamma för södra delen av området.

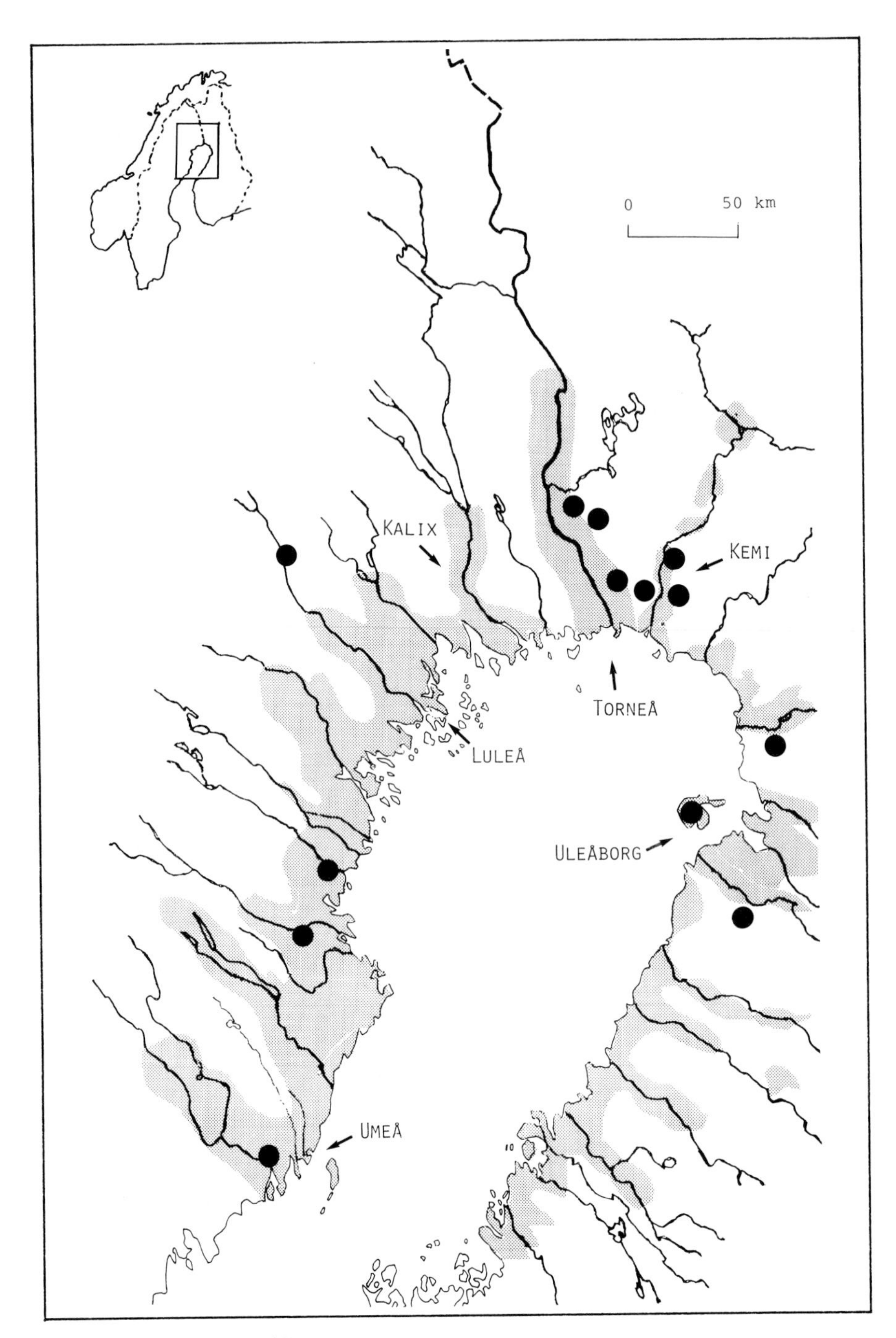

Fig 1. Undersökningsområdet.
● = Paleoekologisk provlokal
▒ = Ungefärligt område som var ianspråkstaget för odling vid mitten av 1500-talet. (Källor: 1543 års jordebok för Västerbotten samt 1566 års jordebok för Österbotten; för norra Finland se även E. Jutikkala et alii, Bebyggelsen i Finland på 1560-talet/ Suomen asutus 1560-luvulla. Atlas. Suomen Historiallinen Seura. Käsikirjoja VII. Helsinki 1973).

Med ett par undantag har man allmänt antagit att det är först efter 1300 som detta område överhuvudtaget får fast bebyggelse. Dessförinnan fanns i området endast nomadiserande fångstbefolkningar. Spec. anses detta ha gällt den norra delen av området. Endast områdets sydligaste del, Umeå och Bygdeå socknar, vilka tidigt omnämns i skriftligt material, har ansetts vara organiserad bygd vid denna tid. I början av 1400-talet har bebyggelsen fortfarande varit mycket, mycket gles och av blygsam omfattning, har man ansett. Men under 1400-talet sker den stora bebyggelseförändringen. Man har för detta århundrade menat sig kunna fastställa en närmast lavinartad kolonisation av kustlandet och älvdalarnas nedre delar. I 1500-talets skriftliga material kan vi avläsa det bebyggelsemässiga resultatet av denna kolonisation!

Är då denna bild riktig? Redan genom att underkasta det skriftliga materialet förnyad analys har jag i ett annat sammanhang visat att det skriftliga materialets uppgifter ingalunda är entydiga och absolut inte ger underlag för de slutsatser som dragits inom tidigare forskning.[3] Det skriftliga materialets vittnesbörd medger överhuvudtaget inga vidlyftiga rekonstruktioner av bebyggelseutvecklingen under medeltiden. Man kan stanna vid detta konstaterande, men därigenom har knappast den huvudsakliga frågeställningen besvarats. Man kan också söka vidare genom att utnyttja sådant material som vanligtvis inte är skrifthistorikerns. Det är också den utväg som här har valts. I ett annat sammanhang har vi sett hur det är möjligt att komma betydligt närmare huvudproblemets lösning genom att komplettera resonemangen kring det skriftliga materialet med resonemang kring arkeologiska och namnvetenskapliga resultat.[4]

Vi skall nu utvidga dessa resonemang till att även omfatta paleoekologiska resultat gällande här aktuellt område.

Därigenom kommer vi i kontakt med en helt annan materialgrupp som det geologiska materialet, och då i första hand våra markers förråd av fossila pollen. Dessa olika materialgrupper skiljer sig väsentligt från varandra. Den vetenskapliga analysen av dem och de resultat den frambringar kommer därför till karaktären att bli annorlunda från vetenskap till vetenskap. Så ger t ex det arkeologiska fältmaterialet oregelbunden information medan det geologiska materialet t ex pollen, makrofossiler etc avlagrats kontinuerligt och då

---

[3] För diskussion av detta se Hans Sundström, Föredrag vid DNÖP:s symposium i Evedal 14—16 september 1970 (Symposierapport i stencil. Lund 1970), s. 66—96; Hans Sundström, Bebyggelseutvecklingen i Övre Norrland under senmedeltiden (Scandia 1974/2), s. 192—205; Hans Sundström, Bondebygd blir till (Faravid 2. Kuusamo 1978), s. 144—176; samt framförallt Hans Sundström, Bönder bryter bygd. Studier i Övre Norrlands äldre bosättningshistoria fram till c:a 1600 (Ms. 1982).

[4] Se Hans Sundström — Jouko Vahtola — Pentti Koivunen, The earliest settlement in the Tornio (Torne) river valley (Excursus in Desertion and land colonization in the Nordic Countries c. 1300—1600. Uppsala 1981), s. 244—271; samt Kyösti Julku & Hans Sundström, Tornedalens bosättningshistoria i ny belysning (Huvudresultat från det tvärvetenskapliga Tornedalsprojektet. Ms. 1982).

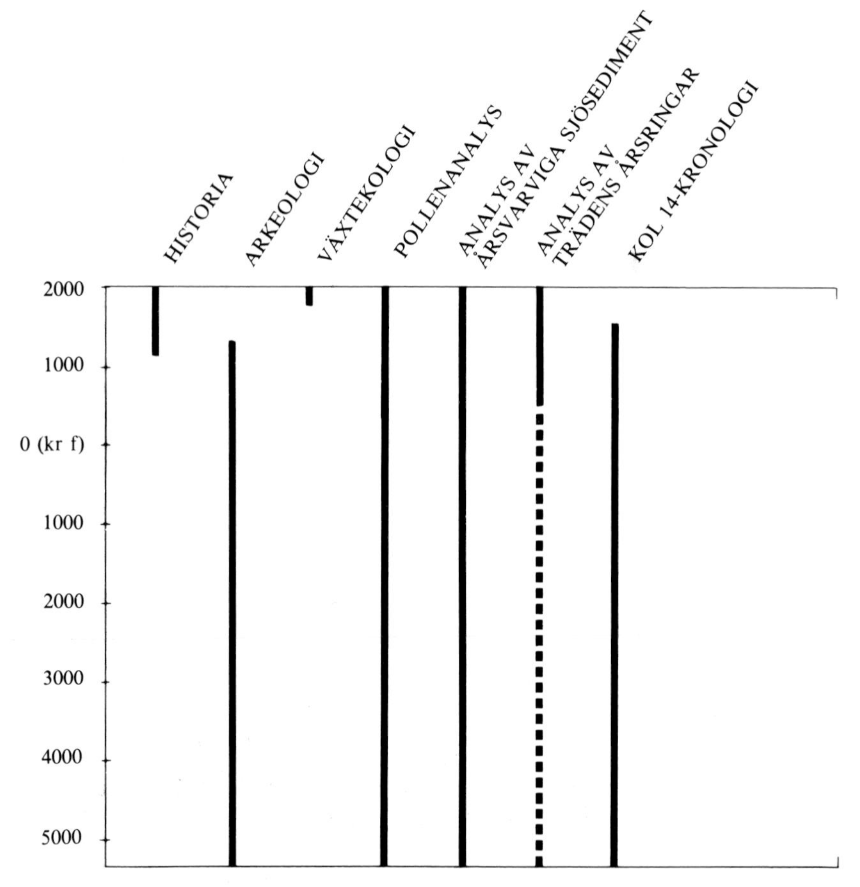

Fig 2. Metoder — källmaterial — tidsperspektiv. I diagrammet markeras vilket tidsområde som respektive analysmetod och källmaterial kan ge information om. Inom Skandinavien är den dendrokrologiska tidsskalan absolut endast för de senaste 1500 åren. För tiden dessförinnan finns endast ''flytande'' kronologiska serier. (Jfr. Berglund & Gustavsson, s. 109).

också ger kontinuerlig information om t ex kulturlandskapsutvecklingen. I motsats till de andra materialen kan man också utifrån det här refererade geologiska materialet även dra slutsatser mot bakgrund av materialets tystnad t ex beträffande vissa växters förekomst. Vi skall här inte fördjupa oss ytterligare i skillnader mellan dessa vetenskaper, eftersom metodiska problem i samband med tvärvetenskaplig forskning har diskuterats på annan plats.[5] Vi har där konstaterat bl a vikten av att de undersökningar, vars resultat skulle samordnas, låg på samma generaliseringsnivå. Problemställningens formulering avgör med andra ord hur pass fruktbart det är att försöka samordna resultat från olika vetenskaper. Den för oss överordnade problemställningen var ju att

[5] Sundström, Bönder.

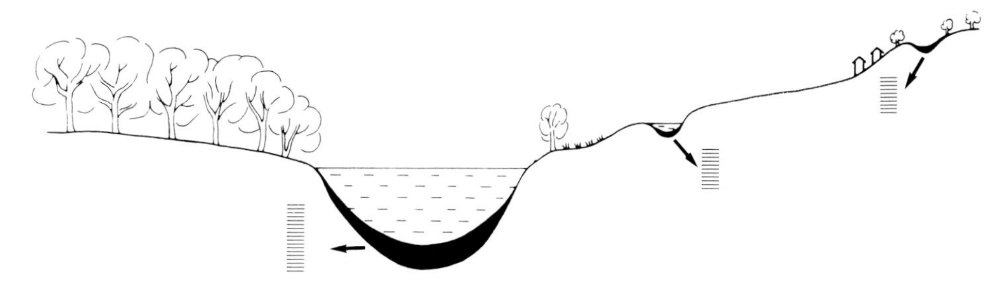

Fig 3. De paleoekologiska arkiven. Sediment från sjöar, kärr och myrar kan undersökas med olika paleoekologiska forskningsmetoder som pollenanalys, diatomacéeanalys, makrofossilanalys, kemisk analys etc. Sedimenten ger då upplysning om den landskapshistoriska utvecklingen. (efter Berglund & Gustavsson, s. 111).

i grova drag försöka rekonstruera bebyggelseutvecklingen i området före mitten av 1500-talet. Genom exempel skall jag här nedan försöka åskådliggöra hur det paleoekologiska betraktelsesättet och paleoekologiska resultat kan bidra till att besvara vår frågeställning.

I samband med diskussionen av de arkeologiska och namnvetenskapliga resultaten kunde vi konstatera att inordningen av dessa i våra egna resonemang ingalunda var problemfri. Då vi nu i vår argumentering vill koppla in de paleoekologiska resultaten måste vi också ha en, i varje fall grovt tillyxad, referensram utifrån vilken vi kan bedöma de enskilda undersökningarnas räckvidd för vår egen frågeställning. Den senare behöver till karaktären inte nödvändigtvis sammanfalla med den refererade paleoekologiska undersökningens. Det är också viktigt att t ex kunna avgöra med vilken noggrannhet de olika analysmetoderna tillämpas, hur stort material som ligger till grund för resultaten osv. Det är givetvis inte här fråga om, annat än i undantagsfall, att den för analys av skriftligt material skolade forskaren skall kunna fackmannamässigt avgöra om en paleoekologisk undersökning är vetenskapligt godtagbar eller ej. Den bedömningen måste göras inomvetenskapligt i det enskilda ämnet. Men det är av största vikt att de olika undersökningarnas syfte och räckvidd, såväl rumsligt som tidsmässigt, jämförs med den egna undersökningens.

I syfte att förverkliga denna målsättning har jag här nedan bl a förhållandevis utförligt beskrivit olika paleoekologiska forskningsmetoder.

All uppdelning av dessa blir visserligen konstlad eftersom de ofta tangerar och faller in i varandra och tillämpas tillsammans. Här görs denna boskillnad endast av redovisningstekniska skäl. Jag har då i första hand inriktat mig på den metod som redan nu frambragt resultat av direkt betydelse för vår bebyggelsehistoriska frågeställning, nämligen pollenanalysen. Men jag har även beaktat ett par andra metoder som inom mycket kort tid kan förväntas få sådan betydelse. Dessutom har jag ansett det vara nödvändigt med en diskussion kring det viktigaste paleoekologiska dateringsinstrumentet, kol 14-metoden.

Datering med hjälp av radioaktivt kol (C 14)

INLEDNING

Då den s.k. kol 14-metoden utarbetades och presenterades i slutet av 1940-talet var en i förhållande till forskaren opersonlig dateringsmetod länge efterlängtad. Här erbjöds nu en möjlighet att oberoende av den enskilde forskarens bedömning datera föremål från skilda tidsperioder och i ett mycket långt tidsperspektiv. Även föremål om vars ålder man svävat i total okunnighet skulle nu kunna dateras.[6] Kol 14-metoden ansågs få särskilt stor betydelse för geologer, arkeologer och vegetationshistoriker samt härigenom indirekt även för historiker.

Även om den första entusiasmen följts av en mer sansad bedömning av metodens möjligheter och begränsningar är det en numera allmänt accepterad dateringsmetod i samband med t.ex. arkeologiska och vegetationshistoriska undersökningar. Den historiker som arbetar med resultat från sådana undersökningar har därför ofta att ta ställning till där förekommande kol 14-dateringar. Eftersom dessa är förenade med vissa metodiska komplikationer skall dateringsmetoden och med dess tillämpning förenade problem diskuteras förhållandevis utförligt här nedan.[7]

PRINCIP

Av grundämnet kol finns olika atom-varianter s.k. *isotoper*. Av intresse här är C^{12}, C^{13} och C^{14}. Dessa står sinsemellan i ett bestämt procentuellt förhållande. Till det kemiska tecknet för kol (C = carbium = kol) har fogats siffror

---

[6] Detta har fått stor betydelse för bl.a. uppfattningen om Västeuropas äldsta historia. Med hjälp av kol 14-metoden kunde man således konstatera att de stora stenmonumenten som t.ex. Stonehenge var äldre än man tidigare antagit. En ständigt pågående utveckling av dateringsmetoden (se s. 17 ff) har under det senaste åren medfört att tillkomsttiden för dessa monument kunnat tidigareläggas ytterligare. Härigenom har Västeuropas äldsta historia till stora delar kunnat skrivas om. Tvärtemot vad man tidigare trott visar det sig att de tidigaste västeuropeiska kulturerna är äldre än de som härstammar från Främre Asien. Den egeiska kulturen har således **inte** gett upphov till de tidiga europeiska kulturerna. Se Colin Renfrew, Ancient Europe is older than we thought (National Geographic vol 152 no 5 1977), s. 615—623; samt senare Björn Fjaestad, Kol 14-metoden uppdaterad: Historien måste skrivas om (Forskning och Framsteg 1980/7), s. 10—13.

[7] Faktainnehållet i nedanstående redogörelse för kol 14-metoden bygger framför allt på följande litteratur: Ingrid U. Olsson, Radiometric dating (Paleohydrological changes in the temperate zone in the last 15000 years. IGCP 158 B. Lake and mire environments. Project guide, vol II. Specific methods. Department of Quaternary Geology, Lund. Ed. by Björn E. Berglund. Lund 1979), s. 1—38 och Gad Rausing, Arkeologien och naturvetenskaperna (Lund 1948), s. 93—97; se även Fjaestad, s. 10—13; samt Renfrew, s. 615—623.

som utgör summan av de inre beståndsdelarna i resp. atom-variant.[8] Siffrorna avspeglar också atomvikten för resp. isotop där C^{12} är den lättaste och C^{14} den tyngsta. Som vi skall se nedan (s. 14) har detta på senare tid utnyttjats för en utveckling av dateringsmetoden.

Men de olika kolisotoperna skiljer sig även på andra sätt från varandra. De inre bindningarna i kol 12-isotopens atom, vanligt kol, medför att den kan karakteriseras som stabil. Motsvarande bindningar i kol 14-isotopens atom är betydligt lösligare och den sönderfaller därför lätt i sina beståndsdelar och övergår till en annan isotop. Kol 14-isotopen är med andra ord *radioaktiv*. Detta sönderfall sker således spontant och fortlöpande.

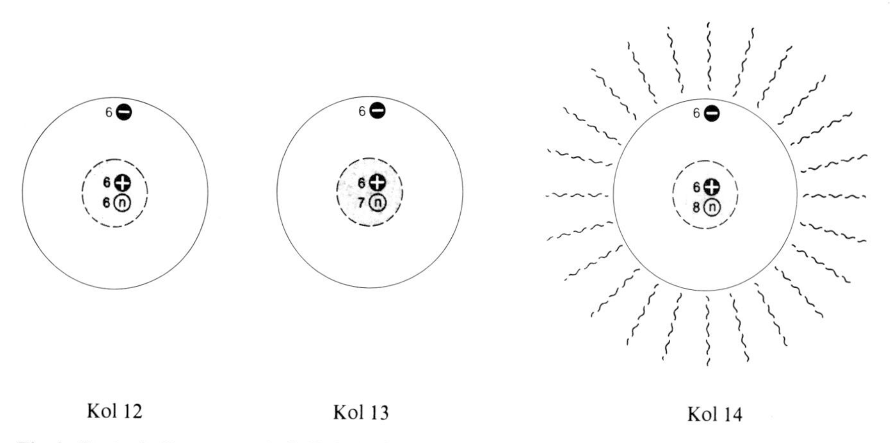

Fig 4. De tre kolisotoperna kol 12, kol 13 och kol 14 varav de två förstnämnda är stabila medan kol 14 är instabil/radioaktiv. De har alla 6 elektroner och 6 protoner var. Däremot särskiljs de genom antalet neutroner. (ur R. E. Dickerson & E. Geis, Chemistry, Matter, and the Universe. Menlo Park, 1976. s. 11).

Genom den kosmiska strålningens inverkan på luftens kväve bildas kol 14 eller radioaktivt kol fortlöpande i atmosfären. Detta kol *oxideras* sedan dvs det ingår en förening med luftens syre och koldioxid (CO_2) bildas. Den i atmosfären förekommande koldioxiden kommer på så sätt även att innehålla radioaktivt kol. Denna koldioxid upptas direkt av växterna vid *fotosyntesen* dvs. det förlopp då växterna med hjälp av ljuset omvandlar luftens koldioxid och jordens näringsämnen till tillväxtmassa (se nedanstående figur).

Växterna ätes sedan av djur och människor. På så sätt kommer all levande organism att innehålla kol och därmed också den radioaktiva kolisotopen kol 14. Som vi påpekat ovan fördelar sig de olika kolisotoperna på ett procentuellt bestämt sätt. Den klart största procentuella andelen (c:a 99 %) svarar kol 12-isotopen för, medan resten då utgörs av kol 13- och kol 14-isotoperna.

---

[8] Kol 12-isotopen består av sex protoner och lika många neutroner medan antalet neutroner i kol 14-isotopen är åtta. Protoner och neutroner har samma vikt.

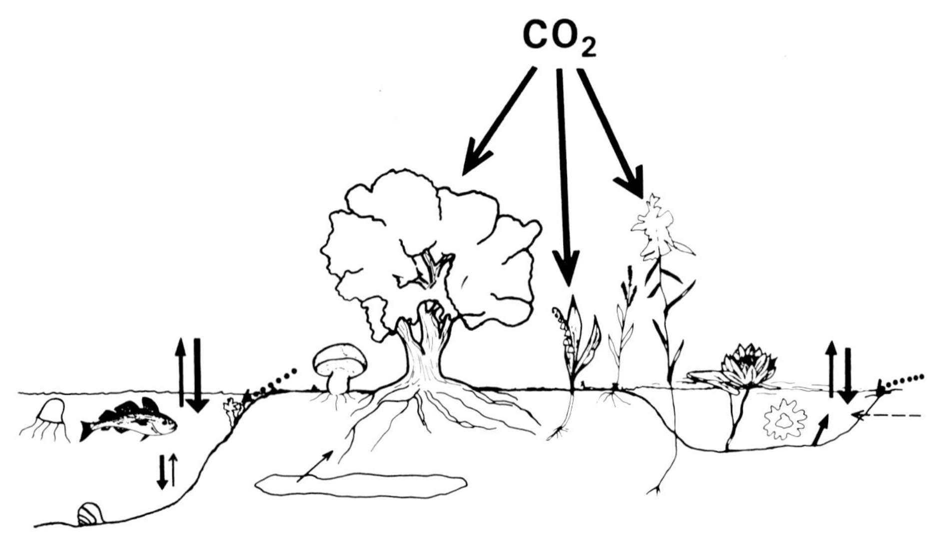

Fig 5. Växternas intag av kol 14 via koldioxider (CO_2) i atmosfär och vatten. (ur Olsson, Dating, s. 2).

Så länge organismerna lever kommer den procentuella fördelningen mellan kolisotoperna i atmosfären att bibehållas även sedan kolet hamnat i organismerna. Trots att kol 14-atomerna ständigt sönderfaller, kommer de att ersättas med nya, eftersom organismerna har ett fortlöpande intag av radioaktivt kol så länge de lever. Sedan organismen dött upphör emellertid detta intag och de sönderfallande kol 14-atomerna kommer inte att ersättas, dvs. proportionen mellan kol 14 och de andra isotoperna kommer att rubbas. Antalet kol 14-atomer kommer hela tiden att bli färre och färre allteftersom sönderfallet fortskrider. Sönderfallshastigheten kan bestämmas och anges i s.k. *halveringstid* dvs. den tid det tar innan hälften av alla kol 14-atomer sönderfallit. Genom att mäta hur stor del av kol 14-atomerna som sönderfallit kan man med hjälp av den kända halveringstiden beräkna hur lång tid som förflutit sedan organismen dog. Detta är i korthet de förhållanden som ligger till grund för den dateringsmetod som har sin utgångspunkt i sönderfallet hos radioaktivt kol (C 14).[9]

---

[9] Samma princip kan även tillämpas på andra radioaktiva isotoper, såväl sådana med längre som sådana med kortare halveringstider. Uran 238 är ett exempel på det förra och kan ge dateringar så långt tillbaka som till tiden för jordens tillblivelse. Den radioaktiva bly-isotopen 210 har mycket kort halveringstid och används för dateringar inom den senaste 150-årsperioden. Speciell användning har denna metod fått vid bestämning av sedimentationshastigheten i olika sjöar (se mer härom i samband med framställningen nedan s. 81 ff). Olsson, Dating, s. 27 ff; samt Fjaestad, s. 13; se även Bo Sundqvist, Acceleratorer vaskar fram kol 14: Vänta inte på sönderfall! (Forskning och Framsteg 1980/7), s. 16.

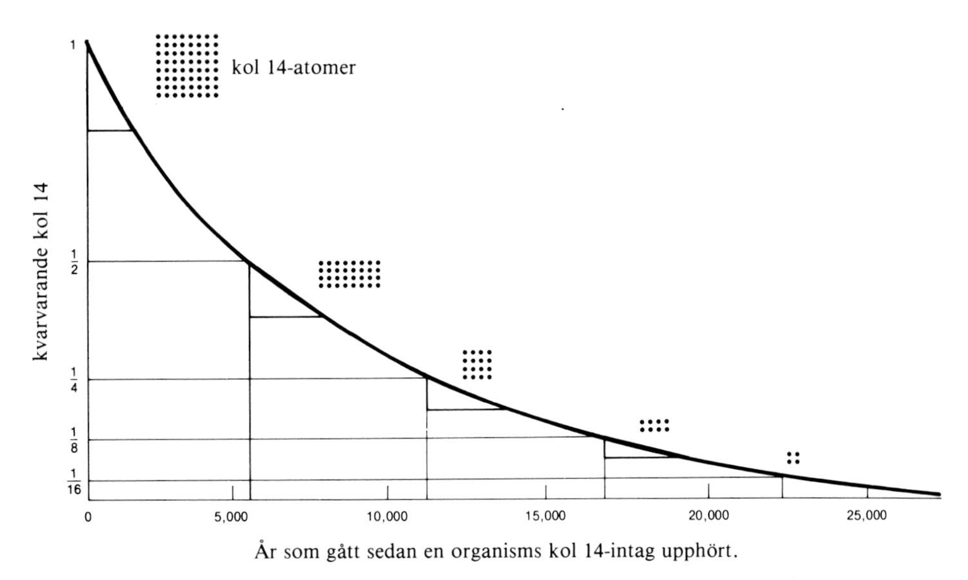

Fig 6. Kol 14 — sönderfallet. Diagrammet visar med vilken hastighet kol 14-halten avklingar i en död organism. Hastigheten avtar ju färre kol 14-atomer som återstår. (ur Dickerson & Geis, s. 354).

METOD

Åldersbestämning med hjälp av kol 14-metoden kan i princip ske på vilket organiskt material som helst.[10]

En tillräckligt stor bit tas av det föremål som skall dateras.[11] Detta prov förpackas sedan på ett sådant sätt att det ej ''förorenas'' av nutida organiskt material eller sådant med annan ålder än det föremål som skall dateras. Över huvud taget kräver provtagningen största noggrannhet eftersom det som skall ge dateringen är mätningen av kolisotoperna i just det slutna system som provet bör utgöra. Smyger sig en bit av ett föremål av annan ålder med, blir ju självfallet hela dateringen värdelös. Därför skall provet så kort tid som möjligt befinna sig i luften för att undvika att t.ex. för ögat osynliga nutida pollen smyger sig med. Av samma skäl skall konserveringsmedel undvikas liksom förpackning i t.ex. lackerade plåtburkar. Provet sändes sedan till ett kol 14-laboratorium. Den avancerade mätproceduren kräver ytterst välut-

---

[10] En ur metodisk synpunkt ofta komplicerande faktor är att även kolsyresalter i grundvatten innehåller daterbart kol 14. Se debatten i Fornvännen mellan Welinder och I. Olsson, t.ex. Stig Welinder, Kring västsvensk mesolitisk kronologi (Fornvännen 1974/3), s. 148 ff; Ingrid U. Olsson, Kan man lita på C^{14}-dateringar återgivna i den arkeologiska litteraturen? (Fornvännen 1975/3—4), s. 248 ff.

[11] Lista över erforderlig provmängd från olika material finns hos Olsson, Dating, s. 24.

rustade laboratorier och för arbetet speciellt utbildad personal.[12] Följaktligen är varje åldersbestämning relativt kostsam.[13] Sedan provet nått laboratoriet förbehandlas det på olika sätt varvid det bl.a. förbrännes under tillförsel av syrgas. Däreftes mätes kol 14-aktiviteten i det så erhållna kolet. Laboratoriearbetet innebär bl.a. att provet förbrukas och bokstavligt talat går upp i rök. Olika material innehåller också olika stora mängder kol. Laboratoriet behöver dock alltid en viss minsta mängd kol (mellan 1—10 gram) för att kunna mäta kol 14-aktiviteten. För att kunna datera föremål av vissa material fordras därför ibland förhållandevis stora provbitar ur föremålet. För att få 1 gram kol behövs t.ex. minst 2 hg. ben och ibland ända upp till 2 kg. medan det endast behövs 6 gram torrt och välbevarat trä för att få samma mängd kol. Införandet av en ny mätteknik med s.k. acceleratorer öppnar helt nya perspektiv.[14] Denna nya metod fordrar t.ex. endast bråkdelen så stora provmängder som den äldre vanliga metoden och ökar härigenom väsentligt användningsområdet för datering med hjälp av radioaktiva isotoper.[15]

När provet skickas till laboratoriet skall det förses med artbestämning, beskrivning av fyndplats och på vilken marknivå föremålet påträffats. Risken för att ev. föroreningar medföljt provet skall anges etc. Detta är nödvändigt för att laboratoriet skall kunna behandla och datera provet på ett riktigt sätt. (Se mera härom nedan under metodproblem). Laboratoriet meddelar sedan dateringsresultatet till den som beställt åldersbestämningen. Härvid anger laboratoriet alla uppgifter som är nödvändiga för att beställaren skall kunna bedöma dateringens giltighet och begränsningar. Varje dateringsresultat åsätts en beteckning för det laboratorium som utfört mätningen samt provets nr. Laboratoriets resultat publiceras dessutom i specialtidskriften ''Radiocarbon''. Det är alltså relativt lätt att få alla nödvändiga uppgifter kring en kol 14-datering.

Många metodiska komplikationer skulle säkerligen undvikas om laboratoriernas önskemål t.ex. beträffande provtagningen bättre hörsammades av brukarna eller om laboratoriernas ''bruksanvisning'' beaktades när olika dateringar jämförs med varandra.

---

[12] Sådana laboratorier finns inom Norden i bl.a. Esbo, Köpenhamn, Lund, Stockholm, Uppsala, Helsingfors och Trondheim.

[13] Den stora efterfrågan på kol 14-dateringar i kombination med kol 14-laboratoriernas begränsade kapacitet har nödvändiggjort en kvotering, så att olika vetenskapliga institutioner får nyttja en viss bestämd andel av resp. laboratoriums årskapacitet. Detta innebär att det i praktiken är omöjligt för privatpersoner att få kol 14-dateringar utförda på inlämnade föremål, såvida inte dateringen kan utföras inom ramen för någon intresserad institutions kvot.

[14] Se Sundqvist, s. 14 ff; samt Olsson, Dating, s. 25.

[15] För att mäta graden av sönderfall i is av den radioaktiva isotopen beryllium 10 krävs med den vanliga metoden c:a 1 miljon liter vatten medan användande av en accelerator endast fordrar 10 liter vatten. Med hjälp av kol 14-metoden och genom att använda accelerator kan man i framtiden kanske till och med datera fingeravtryck. Se Sundqvist, s. 16.

METODISKA PROBLEM — FELKÄLLOR

De metodiska problemen är av flera olika slag även om de naturligtvis alla har en viss inre samhörighet. Det finns dels de problem som beror på att metoden ständigt utvecklas. Gamla byggstenar befinns vara felaktiga och ersätts med nya för att åstadkomma en pålitligare dateringsmetod. Men det innebär också att tidigare gjorda dateringar måste omprövas. Nära sammanhängande härmed är de mättekniska problem som uppstår i samband med laboratoriearbetet. Men det finns även de problem som uppstår i samband med själva provtagningen ute i fält.

Sist med inte minst finns natuligtvis de problem som uppstår då dateringsresultaten skall användas i olika typer av historiska synteser vare sig dessa är vegetationshistoriska, arkeologiska eller av annat slag.

För dem som rutinmässigt använder sig av dateringar baserade på kol 14-metoden som arkeologer, kvartärbotaniker, geologer etc. är förmodligen de aktuella metodiska problemen välkända. Det är inte lika självklart att så är fallet för dem som endast i andra hand tar del av kol 14-dateringarnas resultat t.ex. via redovisningen av en arkeologisk undersökning. De metodiska komplikationerna och de omständigheter som omger dateringsresultaten måste dock ständigt beaktas om inte dateringsmetodens felkällor skall få orimligt stor betydelse.

Vi skall därför nu kortfattat diskutera omfattningen av de olika metodiska problemen och vad som bör uppmärksammas i samband med att dateringsresultat inordnas i historiska synteser av skilda slag.[16]

Fel i fält

En åldersbestämning med hjälp av kol 14-metoden gäller i princip endast det föremål som daterats. Detta härstammar vanligtvis från en marknivå som framkommit t.ex. under arkeologisk utgrävning eller i samband med upptagande av borrproppar för pollenanalytiska undersökningar (se vidare härom nedan). Under förutsättning att dessa marklager ostört lagrats på varandra under tidernas lopp, kan olika marknivåer sägas representera skilda tidspe-

---

[16] Problemen har tidigare tangerats i Jørn Sandnes, Nyere naturvitenskapelige metoder som hjelpemidler i busetningshistorisk granskning (Heimen XV. Oslo 1971), s. 385—396; samt i "The Hoset Project" spec. Helge Salvesen, The Hoset Project. The Scope of the Problem; Views on the Development of Settlement (Norwegian Archaeological Review Vol. 10, 1977: 1—2. Oslo 1977), s. 133 ff; se även Gårdlösa. An Iron Age Community in its Natural and Social Setting. I. (Interdisciplinary studies ed. by Berta Stjernquist. Skrifter utgivna av Kungl. Humanistiska Vetenskapssamfundet i Lund. LXXV. Lund 1981); jfr. i viss mån Bengt Olsson — Tore Påsse — Ole Skarin, Ett tvärvetenskapligt bidrag till odlingshistorien i trakten kring Gamla Lödöse (Ole Skarin, Gränsgårdar i centrum, del 2. Surte 1979), s. 23 f.

rioder (se mera härom nedan s. 81 ff). Det är i sådana fall närliggande att låta dateringen av ett föremål gälla hela den marknivå varifrån föremålet tagits. I praktiken är det också ofta ett sådant förfarande som över huvud taget gör det meningsfullt att använda kol 14-datering av olika föremål. Men redan här aktualiseras en väsentlig felkälla, som också kanske är den allvarligaste, nämligen: *är provet representativt för det som skall dateras?* Då provtagningen sker, måste därför provtagaren förvissa sig om att marklagren inte rörts om eller på annat sätt störts under senare tidsperioder.[17] Men uppmärksamheten måste också riktas mot möjligheten av att det aktuella provet/föremålet tryckts ned eller ryckts upp (t.ex. genom frostsprängning, djupplöjning etc.) från den marknivå där det ursprungligen hör hemma.

Halveringstid

Dateringsmetoden utarbetades i slutet av 1940-talet av den amerikanske fysikern Willard F. Libby. Då ansågs halveringstiden för kol 14 vara 5.570 år. Senare har andra halveringstider ansetts mer fysikaliskt korrekta, och för närvarande anses halveringstiden vara 5.730 år.[18] De kol 14-dateringar som görs är naturligtvis beroende av vilken halveringstid som används. De dateringar som gjorts med utgångspunkt från den ena halveringstiden kan inte utan vidare jämföras med dateringar som baserats på en annan halveringstid. Innan två olika kol 14-dateringar jämförs och diskuteras bör man således först undersöka vilken halveringstid som används i de olika fallen.[19] Otympligheten i detta förfarande har blivit alltmer uppenbar, varför man nu återgått till att använda den gamla ''felaktiga'' halveringstiden.[20] Därigenom har man behållit jämförbarheten med de dateringar som tidigare gjorts. Vid publigering får sådana resultat ofta det förklarande tillägget *''C 14-år''*.[21]

Standardavvikelsen

De åldersbestämningar som nåtts genom kol 14 datering och med användande av den ''gamla'' halveringstiden 5.570 år brukar således kallas *C 14-år*. Dessa anges alltid i en ålder som räknas bakåt från nutid (present)

---

[17] Olika typer av tänkbara nivåstörningar förtecknas hos Ingrid U. Olsson, Något om val av C^{14}-prov och val av presentationssätt av resultaten (Fornvännen 1977/3—4), s. 210; se även Olsson, Dating, s. 31; jfr. Stig Welinder, Om radiometrisk datering av träkol från mesolitiska boplatser (Fornvännen 1977/2), s. 57 ff.

[18] Se Olsson, C^{14}-prov, s. 210 f.

[19] Sådana missvisande jämförelser i den arkeologiska litteraturen kritiseras och exempilifieras bl.a. i Welinder, Kronologi, s. 148.

[20] Se Olsson, C^{14}-prov, s. 210 f; jfr. även Fjaestad, s. 12 f.

[21] Se Olsson, C^{14}-prov, s. 210 f.

där nutid bestämts till 1950. En sådan kol 14-datering anges därför i ett visst antal C 14-år B.P. (before present = före 1950). Därtill anges alltid med vilken statistisk säkerhet den i laboratoriet uppmätta åldern erhållits. Detta anges i enheten σ som är det statistiska tecknet för *standardavvikelsen* i en samling prov, dvs. ett mått på den spridning som de uppmätta resultaten visar. Den i kol 14-laboratoriet uppmätta åldern anges vanligtvis med $\pm$ 1 σ vilket t.ex. vid en åldersbestämning till 1640 $\pm$ 130 B.P. innebär att provets ålder med 68 % säkerhet ligger inom värdena 1770—1510 år före 1950 dvs. provet torde härstamma från tiden mellan c:a 180—440 e.kr. Om samma tidsbestämning anges med $\pm$ 2 σ innebär det dubbel spridning dvs. 1640 $\pm$ 260 B.P. men också att säkerheten nu är 95 % och att det uppmätta värdet faller inom ramen 1900—1380 före nutid dvs. med nästan 100 % säkerhet härstammar provet från tiden mellan c:a år 50—570 e.kr. De flesta kol 14-laboratorier anger som sagt den uppmätta åldern med 1 σ men det finns en del laboratorier som anger åldern med 2 σ. Det säger sig självt att jämförbarheten mellan dateringarna härigenom påverkas. Inte desto mindre förekommer framställningar där i tabell- eller diagramform dateringar med 1 σ resp. 2 σ utan vidare sammanställts.[22]

Kol 14-aktiviteten i atmosfären varierar

Som vi tidigare nämnt är kols procentuella innehåll av kol 14 densamma i organismerna som i atmosfären. Kunskapen om denna procentuella fördelning grundas liksom slutsatser om halveringstiden på mätningar av kol 14-aktiviteten i ett ungt s.k. *standardprov,* dvs. ett prov som världens kol 14-laboratorier har antagit som normgivande.[23] Man har länge antagit att kol 14-aktiviteten i atmosfären, och därmed i de föremål som skulle dateras, alltid varit densamma som den i dag är enligt detta standardprov.

Upptäckten av att vissa träd kan bli flera tusen år gamla har medfört att en sällsynt möjlighet yppats till kontroll av kol 14-dateringarnas tillförlitlighet för skilda tider. Trädprover har ålderbestämts dels med hjälp av årsringsdatering (se mera härom nedan) och dels genom tillämpning av kol 14-metoden. Det visar sig då att dateringarna för vissa åldrar avviker från varandra på ett alldeles bestämt sätt (se fig. 7).[24]

---

[22] Ibidem.

[23] Provet är en oxalsyra. Standarden fastställdes vid C 14-symposiet i Groningen 1959.

[24] Redan tidigare hade det varit möjligt att göra punktvisa jämförelser mellan kol 14-dateringar och dateringar baserade på uppgifter i historiskt material, t.ex. mycket exakta egyptiska kronologier. Jämförelserna visade att kol 14-dateringarna nästan alltid angav lägre ålder. Utvecklingen inom dendrokronologin innebär att kontrollerande jämförelser kunde systematiseras och utföras i en obruten tidsserie fr.o.m. flera tusen år f.Kr. och fram till i dag. Se Renfrew, s. 616 ff; jfr. Fjaestad, s. 11 ff.

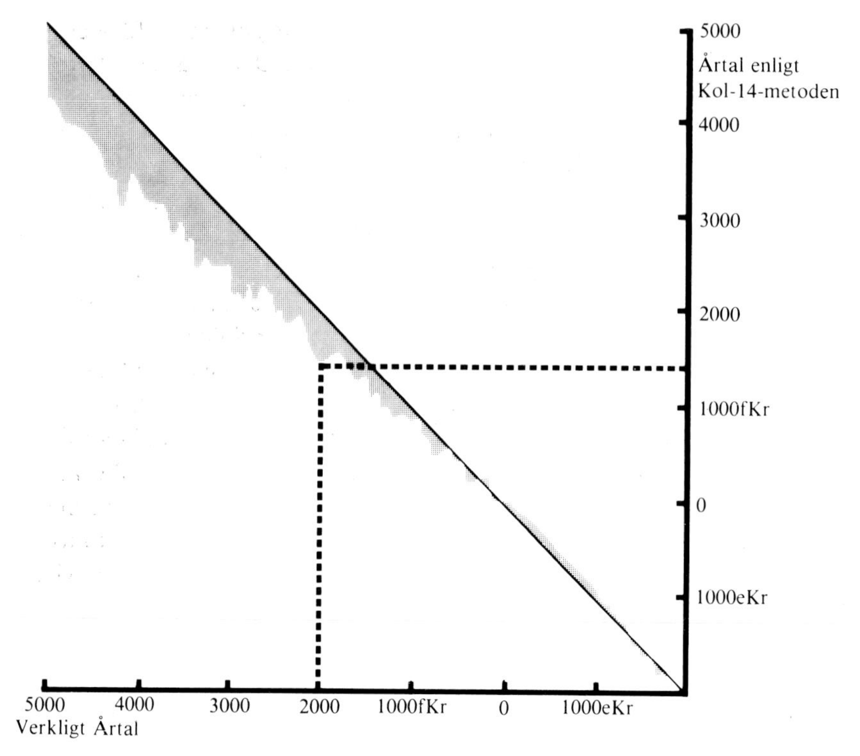

Fig 7. Kol 14-klockan går fel. Detta visas i diagrammet genom en jämförelse mellan dateringar baserade på kol 14-respektive dendrokronologisk metod. De senare dateringarna är betecknade som "verkliga årtal". En bit trä som med dendrokrologisk metod t ex får åldern 2000 år blir med kol 14-metod 500 år yngre och får den felaktiga åldern 1500 år (efter Renfrew, s. 616; samt Fjaestad s. 11).

Kring år 0 ger de olika dateringsmetoderna samma resultat medan kol 14-dateringarna för tiden dessförinnan hela tiden anger lägre åldrar än årsrings-dateringarna. För tiden efter år 0 är förhållandet i huvudsak det motsatta även om avvikelserna är betydligt mindre. För denna period förekommer dock tre väsentliga avvikelser, avseende 1400-, 1500- och 1700-talet. Vid datering av prover från dessa århundraden ger kol 14-metoden återigen lägre åldrar än de som nås genom årsringsdatering.[25]

De åldersbestämningar som gjorts med hjälp av årsringsdatering måste i dessa jämförande sammanhang anses helt säkerställda varför de anförda avvikelserna måste bero på att kol 14-metoden ger felvisningar på ovan antytt sätt. Förklaringen härtill har visat sig vara att kol 14-aktiviteten i atmosfären och därmed i organismerna varierat och ej alltid som man tidigare antagit,

---

[25] Dessa s.k. de Vries-effekter innebär att kol 14-mätningarna ger ungefär 100 år för låga åldrar. Se Fjaestad, s. 11 ff.

varit densamma som nu.[26] Det är ännu okänt varför atmosfären innehållit högre halter kol 14 under t.ex. 1400-, 1500- och 1700-talen.[27]

Kalibrerade åldrar

Numera anser man att dateringar av prov från tiden efter år 1550 e.kr. är mycket osäkra liksom från tiden före c:a 200 f.kr. Kol 14-dateringar av prov från tiden 200 f.k. — 1550 e.kr. anses däremot som pålitliga.[28] I övrigt har olika diagram och kurvor konstruerats för att kol 14-dateringar skall kunna korrigeras till rätt ålder i kalenderår.[29] Sådana åldrar anges då såsom *kalibrerade*. Tyvärr har kol 14-laboratorierna ännu inte enats om en gemensam kalibreringskurva, varför det förekommer kalibrerade åldrar som kalibrerats efter olika tabeller.

Korrigerade åldrar

Vid fotosyntesen särskiljer växterna i viss mån de kolisotoper som upptas med koldioxiden, (s.k. *isotopfraktionering)*. Den procentuella fördelningen mellan de olika kolisotoperna kan därför redan ursprungligen ha varit ''onormal''. För att kontrollera detta mätes även provets fördelning mellan kol 12 och kol 13. Detta värde jämförs sedan med motsvarande fördelning i det av laboratorierna antagna standardprovet (se ovan). De sålunda eventuellt konstaterade avvikelserna från den normala fördelningen är vanligtvis mycket små, men föranleder i aktuella fall att provet ''normaliseras'' efter det erhållna kol 13-värdet i provet. Den uppmätta åldern sägs vara *korrigerade C^{14}-år*. Denna mätning av kol 13-värdet företas av en del laboratorier (t.ex. Uppsala) alltid i samband med kol 14-mätningar medan en del laboratorier

---

[26] Se t.ex. Renfrew; Olsson, Dating s. 2 ff; Fjaestad, m.fl.

[27] Atmosfärens kol 14-halt kan påverkas av en rad faktorer. Jordens magnetfält påverkar sålunda den kosmiska strålningen, vilken i sin tur styr tillkomsten av kol 14. Kraftiga s.k. solvindar antas bromsa kol 14-bildningen medan supernovor förmodligen stimulerar den. Jordens eget klimat och dess växlingar spelar också förmodligen en avgörande roll vid kol 14-bildningens varierande intensitet. Under se senaste hundra åren har atmosfären tillförts stora mängder koldioxid utan radioaktivt innehåll genom den omfattande förbränningen av fossila bränslen, vars kol 14 för länge sedan helt och hållet sönderfallit. Dessa s.k. Suesseffekter innebär att kol 14-mätningarna kommer att ge för hög ålder. Å andra sidan har atmosfären under de senaste tjugofem åren tillförts mycket stora mängder kol 14 genom det ökade neutronflöde i atmosfären, som atombombsproven givit upphov till. Se Fjaestad.

[28] Se Olsson, Dating, s. 2 f; samt Fjaestad, s. 11.

[29] Det första kalibreringsdiagrammet, grundat på jämförelser med årsringsdateringar, framställdes 1967 av kalifornien-professorn Hans E. Suess (Renfrew, s. 621). Sedan dess har andra forskare konstruerat andra diagram, kurvor och tabeller. Situationen är nu sådan att olika forskare har olika kalibreringsnormer (Olsson, Dating, s. 2 f.)

inte har denna rutin. Det är således viktigt att uppmärksamma huruvida den angivna åldern är uttryckt i korrigerade år eller ej.

Skenbar ålder[30]

Speciella och komplicerade förhållanden råder vid koldioxidutbytet (och därmed även för kolisotoperna) såväl mellan atmosfär och havsyta som mellan olika vattenskikt i havet. Detta medför att förhållandet mellan kol 14 och kol 12 blir en annan i havet än i atmosfären. Denna s.k. *reservoareffekt* innebär att prov från marina miljöer dvs. av sådana djur och växter som tillgodogjort sig havets kol kommer att få en högre kol 14-ålder än jämngamla prov från landanknutna miljöer. Man säger att havsvattnet och växter och djur i sådana marina miljöer har en *skenbar ålder.*[31] Även insjöar och anslutande gyttjor har sådan skenbar ålder. Kol 14-laboratorierna har dock relativt god kontroll över denna felkälla. Således kan den skenbara åldern för havsvattnet vid västkusten fastställas till c:a 420 år, dvs. för att utjämna denna effekt bör 420 år subtraheras från den uppmätta kol 14-åldern. Vid åldersbestämning av prov från sådana miljöer korrigeras därför vanligtvis den uppmätta åldern på vederbörligt sätt. Den skenbara åldern kan variera starkt mellan olika lokaler. Tyvärr har kol 14-laboratorierna inte heller i detta fall någon gemensam praxis. Beträffande dateringar av prov från miljöer som kan tänkas ha skenbar ålder måste den som använder dateringen i en framställning således alltid uppmärksamma huruvida provet redan i laboratoriet korrigerats eller ej. Laboratoriernas olika praxis och brukarnas bristande uppmärksamhet har medfört att det i litteraturen förekommer dateringsresultat som korrigerats två gånger för skenbar ålder.[32]

SAMMANFATTNING

Vi har här ovan förhållandevis utförligt diskuterat de olika metodiska problem, eller om man så vill -felkällor, som är förenade med dateringar enligt kol 14-metoden. Detta har varit nödvändigt av flera olika skäl, varav några angavs redan i inledningen av detta kapitel (se s.??). Bland de historiker som över huvud taget har anledning att ta ställning till kol 14-metodens dateringsmöjligheter finns vitt skilda uppfattningar. Åsikterna pendlar mellan onyanserad tilltro och ogrundad misstro. Detta kan möjligtvis bero på att åsikterna sällan förankrats i någon djupare medvetenhet om dateringsmeto-

---

30 För nedanstående se Olsson, Dating, s. 17 ff.

31 På grund av isotopfraktionering (se ovan) kan även prov från en del växter som t.ex. majs ha en skenbar ålder. Se Olsson, C^{14}-prov, s. 209.

32 Olsson, C^{14}-dateringar, s. 250.

dens begränsningar resp. möjligheter. De metodiska problem som ovan diskuterats är naturligtvis ständigt närvarande, men insikt om dessas natur innebär att de inte nödvändigtvis behöver bli felkällor. Närmast i åtanke är de mättekniska problem som är förknippade med laboratoriearbetet. Dateringsresultat måste alltid ses mot bakgrund av hur laboratoriet löst dessa problem. De anvisningar som laboratoriet ger avgör dateringsresultatets giltighet. Innan olika resultat redovisas och jämförs med varandra måste således kontrolleras bl.a. vilken halveringstid som använts, hur stor standardavvikelsen är, om åldern korrigerats för ''skenbar ålder'' eller för kol 13/kol 12 -avvikelse o.s.v. I det fall dateringen anges i kalenderår måste uppmärksamheten riktas mot om resultatet kalibrerats och i så fall efter vilken kalibreringskurva. Utfallet av dessa kontroller bestämmer jämförbarheten mellan resultaten.

Mycket svåra att lösa och kontrollera är de metodiska problem som är förknippade med provtagningen i fält. Detta är också en av de allvarligaste felkällorna. Huvudproblemet är om det tagna provet kan anses datera det som provtagaren avser skall dateras. Problemets lösning grundar sig nästan uteslutande på provtagarens personliga bedömningar, vilka dessutom mestadels är mycket dåligt redovisade. Det är således ofta omöjligt att avgöra hur stor betydelse denna sistnämnda felkälla har för giltigheten av en i litteraturen redovisad kol 14-datering. Speciellt markerad blir denna osäkerhet i de fall dateringen avser gälla hela marknivåer.

Pollenanalys

INLEDNING[33]

Redan vid mitten av 1800-talet hade man klart för sig att i myrarnas torvlager fanns arkiverat lämningar efter gångna tiders växtsamhällen.[34] Det var då först *makrofossiler* (= för blotta ögat skönjbara lämningar) som ved, bark, frukter, frön och skelett som intresserade forskningen, där Japetus Steenstrups insatser är pionjärgärningen. Så småningom gled intresset alltmer

---

[33] Nedanstående forskningshistorik bygger på uppgifter hos Knut Faegri & Johs. Iversen, Textbook of pollen analysis (2nd rev.ed. Copenhagen 1966), s. 11 ff; Knut Faegri, Pollenanalysen. En oversikt. (Viking. Tidsskrift for norrøn arkeologi. Bind IX. Oslo 1945), s. 45 ff; samt Roger Engelmark, The vegetational history of the Umeå area during the past 4000 years (Early Norrland 9. Motala 1976), s. 96 f.

[34] Även dessförinnan hade man kunnat få kunskap om tidigare vegetation genom de avtryck av frön, nötter, sädeskorn etc. som gjorts i keramik. Men dessa upplysningar var sporadiska och omöjliga att systematisera.

över mot *mikrofossilerna* (= lämningar som endast är skönjbara i mikroskop) och då speciellt *pollen och sporer,* varigenom växterna föröka sig. Studiet av myrarnas växtlagerföljder blev därmed också ett studium av det omgivande vegetationslandskapets utvecklingshistoria, vilken kunde rekonstrueras med hjälp av de pollen och sporer som en gång blåst ut över fornmyren eller fornsjön. Där lagrades de i torven eller i sjöns bottensediment. I princip var dessa pollen och sporer individuella till utseendet beroende på från vilken växt de härstammade. De förekom vidare så pass rikligt att det borde vara möjligt med en jämförelse mellan pollenmängden från de olika växterna och analys av dennas variation.[35] Vid en kongressföreläsning 1916 introducerade dåvarande statsgeologen, sedermera geologiprofessorn i Stockholm, Lennart von Post pollenanalysen som naturvetenskaplig forskningsmetod.[36] Skandinavisk myrforskning hade då sedan länge varit framstående och redan 1902 hade man i Stockholm kommit fram till pollenanalysens grundprincip, men man såg väsentliga hinder för dess tillämpning. Gunnar Anderssons grundläggande arbete över hasselns utbredning i Sverige (1902)[37] skulle få stor betydelse i detta sammanhang, även om hans arbete huvudsakligen grundades på makrofossilanalys och ej pollenanalys. I detta arbete klargjordes myrarnas förmåga att vittna om den omgivande miljöns vegetationshistoria. Entusiasmen blev också stor inför den av von Post introducerade metoden som enligt honom beredde forskaren möjlighet att *"i en droppe gyttja ur naturens egna arkiv läsa ut hur landskap fötts och gått under och andra kommit i stället".* Snart slog metoden igenom även på kontinenten. Så småningom kom man fram till att skogens täthet kunde avläsas i relationen mellan de totala värdena för trädpollen contra pollen från övriga växter. När vi i fortsättningen talar om dessa två huvudgrupper skall för enkelhetens skull användas de gängse förkortningarna *AP (arboreal pollen* = trädpollen) resp *NAP (nonarboreal pollen* = pollen från övriga växter). I slutet av 1930-talet påvisades möjligheten att utseendemässigt skilja mellan pollen från sädesslagen och deras släktingar, de vilda grässlagen. Därmed var grunden också lagd för en snabb utveckling av den vegetationshistoriska landskapsanalysen med speciell tonvikt vid människans roll i naturlandskapets omgestaltning. 1941 visade så dansken Johs. Iversen att han genom analys av pollenförekomsten i uppborrade sedimentproppar ur danska sjöbottnar kunde fastställa tidpunkten för

---

[35] Som enstaka lämning betraktad är makrofossil av t.ex. växter eller insekter lika viktig som pollen. Så kan t.ex. makrofossil av insekter vara av stor betydelse för att kunna fastställa människans påverkan på den lokala omgivningen och boplatsmiljön. Eftersom makrofossilerna dock inte kan summeras är det omöjligt att få någon kvantitativ beräkning av olika makrofossiler och deras förekomstvariation.

[36] Lennart von Post, Skogsträdpollen i sydsvenska torvmosselagerföljder (Forhandl. 16 skandinaviske naturforskermøte. Kristiania 1918).

[37] Gunnar Andersson, Hasseln i Sverige fordom och nu (SGU Ser. Ca. 3. Stockholm 1902).

a.

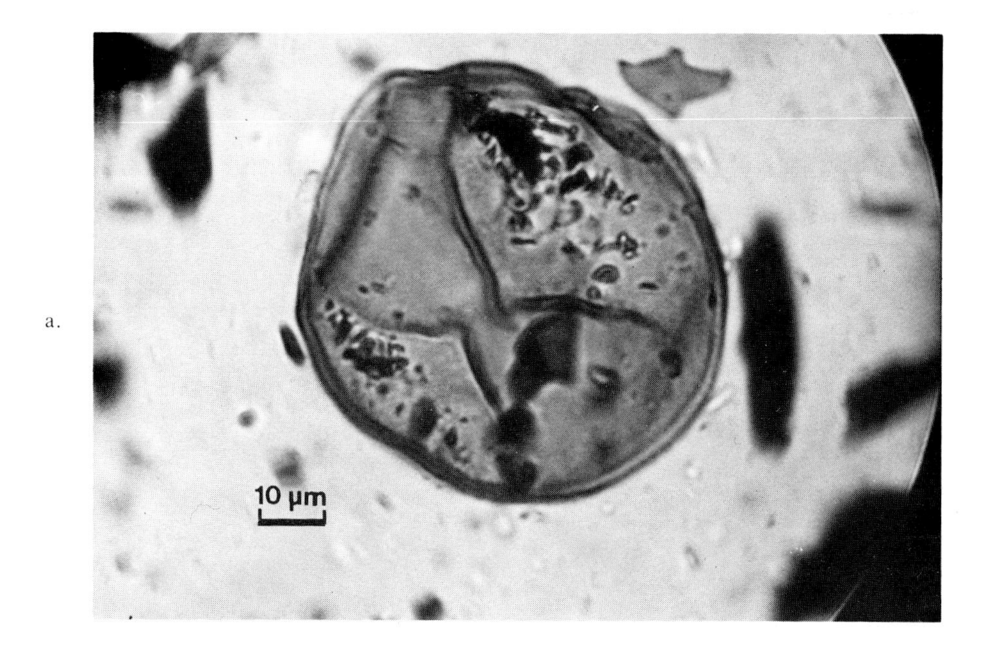

b.

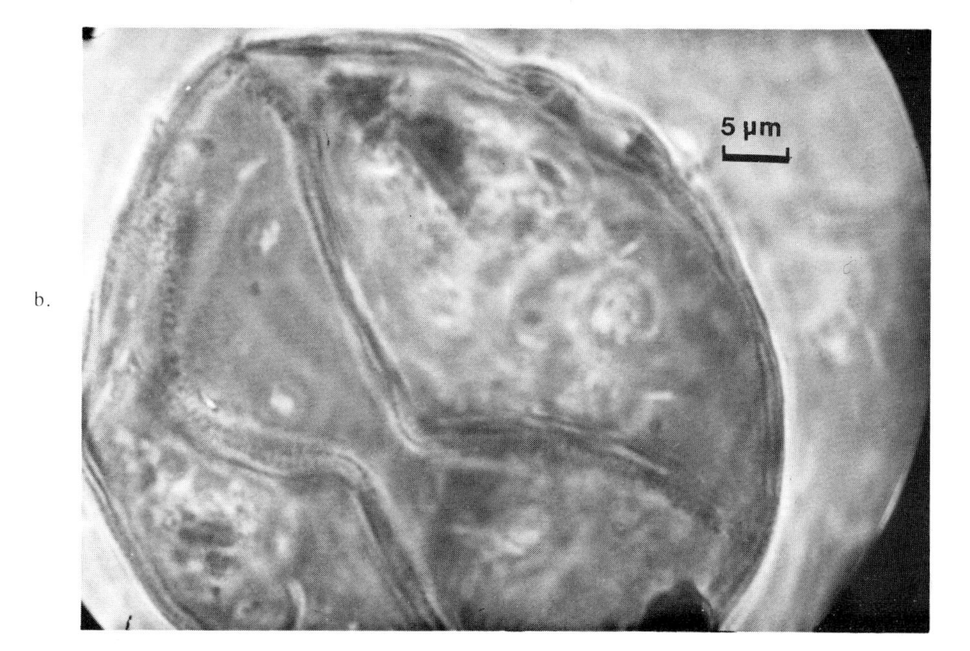

Fig 8. Sädeskorn (cerealia) betraktat vid
a. vanlig ljusmikroskopering
b. faskontrastmikroskopering. Foto: Mervi Hjelmroos.

''landnamet'' i Danmark, dvs då skogen röjdes och jorden började odlas.[38] Uppmärksamheten kom nu att riktas mot pollenanalysens möjligheter att belysa förhistorisk odling och överhuvudtaget sådan mänsklig verksamhet som påverkat naturlandskapet.

I och med att gångna tiders flora kunde bestämmas till innehåll och utbredning öppnades även helt nya perspektiv för den klimathistoriska forskningen. Metodutvecklingen inom den vegetationshistoriskt inriktade pollenanalysen kom huvudsakligen att ombesörjas av forskare i Norden.[39] Iversen arbetade tillsammans med norrmannen Knut Faegri vidare med tillämpningarna och svensken G. Erdtman förfinade laboratoriearbetet. Metodutvecklingen kom till viss del att styras av den tekniska utvecklingen. Så är identifieringen av pollen beroende av mikroskopets kvalité. Är denna låg är det t.ex. i regel omöjligt att skilja mellan pollen från olika slags *cerealia* (=sädesslag) och cerealialiknande pollentyper. Vissa observationer kan bara göras med faskontrastmikroskopering eller med svepelektronmikroskop. Den starka tekniska utvecklingen på området har därför medfört att ständigt nya metoder tas i bruk, vilka gett resultat som var otänkbara att nå bara för tio år sedan.

Även sporadiska och svaga tecken på mänsklig närvaro i naturen kan nu spåras och blir beviskraftiga då de regelbundet förekommer i flera sedimentprofiler. Framförallt paleoekologisk datering har genomgått en grundlig metodutveckling under de allra senaste åren. Pollenanalysen ger således allt rikare möjligheter till förfinad undersökning av gångna tiders växtsamhällen samt till noggrann datering av förändringar inom dessa. Mot bakgrund av den diskussion som ovan förts beträffande svårigheterna att på basis av skriftligt material analysera och tidfästa bebyggelseetableringen inom uo, är det i detta sammanhang tillfredsställande att kunna konstatera de perspektiv som pollenanalysens tillämpning öppnar. Vi skall här nedan titta närmare på resultat från pollenanalytiska undersökningar av lokaler inom och i närheten av uo. Det är dock nödvändigt att dessförinnan ganska utförligt redogöra för de principer och metoder som ligger bakom dessa resultat. De pollenanalytiska resultaten med anknytning till uo skall avslutningsvis sättas in i ett vidare vegetationshistoriskt sammanhang.

---

[38] Johns. Iversen, Landnam i Danmarks stenalder. En pollenanalytisk undersøgelse over det første landbrugs invirkning pää vegetations udviklinger (Danmarks geologiske undersøgelse 11. Raekke nr. 66. Reitzel 1941).

[39] Vi skall här överhuvudtaget inte diskutera andra tillämpningar av pollenanalysen t.ex. inom allergiforskning eller kriminologi. (Se t.ex. P. D. Moore & J. A. Webb, An illustrated guide to pollen analysis (London — Sydney — Auckland — Toronto 1978, s. 6 f). Detta även om kriminalhistorien känner många intressanta fall, där brott uppklarats tack vare att pollenfynd t.ex. från gärningsmannens eller offrets kläder kunnat artbestämmas och härledas. Förhoppningsvis kan författaren återkomma till detta i ett annat sammanhang.

PRINCIP

De viktigaste förutsättningarna för pollenanalysen och spec. dess tillämpning inom bebyggelsehistorien är

— *att* pollenkornet är så beskaffat att det motstår kemisk och mekanisk påverkan och härigenom har förutsättningar att fossileras.
— *att* pollenkornen från olika växter är individuella till utseendet och kan skiljas från varandra.
— *att* de olika växternas pollenproduktion och pollenspridning är känd så att beräkningar kan göras beträffande förhållandet mellan pollenförekomst och vegetationsbild.
— *att* man känner de olika växternas miljökrav och inbördes relationer så att vegetationshistorien och landskapförändringarna kan resoneras fram.
— *att* man känner de olika växtsamhällenas sammansättning och dessas reaktioner på olika typer av mänsklig verksamhet.
— *att* pollen förekommer i tillräckligt stor mängd för att möjliggöra kvantitativa beräkningar av de olika växternas pollenförekomst och jämförelser däremellan samt framställa dessa i grafisk form — *pollendiagrammet.*

Vi skall här nedan diskutera litet närmare kring dessa förutsättningar alltifrån den förhållandevis oproblematiska frågan om pollenkornets beskaffenhet och utseende till de mer komplicerade tolkningsfrågorna kring olika växtsamhällen och landskapsförändringar samt människans roll i dessa.

Pollenkornet[40]

Pollenkornet består i allmänhet huvudsakligen av tre olika lager. Innerst finns det cellinnehåll som skall möjliggöra att en ny planta växer upp. Det omsluts av ett lättförstörbart lager som ligger alldeles innanför det yttersta skalet — *exinet.* Exinet är uppbyggt av kväverika kolföreningar vilka har mycket stor motståndskraft mot såväl kemisk som mekanisk påverkan. I myrarnas blöta lager och i sjöarnas bottensediment råder ett syrefritt tillstånd som gör att *saprofytiska* (= som lever på dött organiskt material) bakterier och svampar hämmas i sin nedbrytande verksamhet. Detta gör att vissa organiska bildningar bevaras mycket väl. Kraftiga vävnader som t.ex. ved, bark, kitin- eller kutinartade ämnen klarar sig undan angreppen och konserveras.[41]

---

[40] Beträffande pollenkornets utseende och spridning i allmänhet se t.ex. Faegri, Pollenanalysen, s. 48—54; samt de gängse läroböckerna i ämnet Faegri & Iversen, s. 14—42 och Moore & Webb, här spec. s. 30—45 samt s. 98—112.

[41] Insekternas hudpansar är t.ex. uppbyggt av kitin och bland makrofossilerna intar insektsdelar en viktig plats. Kutin ingår bl.a. i pollenkornens ytterskal-exinet. Om myrarnas egenskaper som konserverande förråd se Magnus Fries, Vad myren berättar (Sveriges Natur 1963), s. 91 ff.

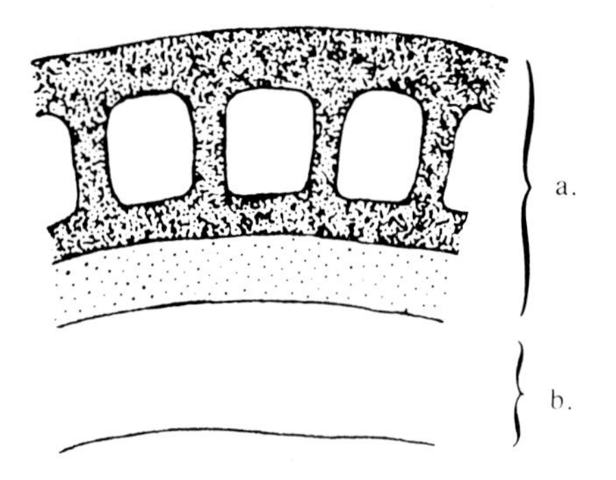

Fig 9. Närbild av pollenkornets skal. Det yttre skalet kallas *exin* (a) och är uppbyggt av ett av de mest motståndskraftiga organiska material som finns. Det inre skalet, *intinet* (b), består av ett lättförstörbart cellulosaämne. (Efter Moore & Webb, s. 31).

Mot denna bakgrund och med tanke på att exinet i pollenkornens ytterskal är ett av de motståndskraftigaste organiska material som är känt — det motstår koncentrerade syror såväl som baser — kan konstateras att i rätt miljö har de flesta pollenkorn möjligheter att fossileras och bevaras över årtusenden. Detta sker också. En och annan växt har pollenkorn som saknar det yttersta hårda skalet varför de snart bryts ner och dessa växter kommer ju naturligen aldrig att bli representerade i ett fossilt *pollenspektrum* (= pollen från de olika växterna och dessas sammansättning i ett visst prov). Det finns också en del torvslag som är mindre gynnsamma för pollenkornens bevarande. Myrar med sådan torv är naturligtvis olämpliga som provlokaler.

Av det ovan sagda framgår att det också är exinet som anger pollenkornets utseende, varvid exinets utformning varierar från växt till växt. Det finns således olika möjligheter att skilja mellan pollen från olika växter, t.ex. genom att iakttaga

— Porernas antal och utformning. Genom dessa porer skall pollenslangen tränga ut vid befruktningen. På fossilt material är det skyddande locket alltid borta varför porerna är lätt iakttagbara i ett mikroskop.

— Antal veck i exinet, vilka skall möjliggöra volymförändringar vid t.ex. vattenavdunstning resp. uppsugning.

— Ytstruktur. Denna kan vara taggig, vårtig, blank eller bestå av fina eller grova nätverk, etc. Pollen från alm har t.ex. en kletig konsistens. På en del pollen kan vidare ytstrukturen variera mellan olika delar av pollenkornet.

— Formen. Denna kan variera kraftigt. Det finns t.ex. pollen som ser ut som en tunn och platt kaka och det finns pollen som ser ut som en stor boll. Storleken växlar från 1/100 mm upp till över 1/10 mm. Pollenkornens varierande utseende framgår enklast av nedanstående figur som visar några standardexempel ur olika vinklar.

Vi kan således själva konstatera möjligheten att skilja olika pollen från varandra. Men medan det således skiljer ganska mycket i utseendet mellan pollen från olika *växtfamiljer* avtar särarterna i utseendet när det gäller växter inom samma familj. I de flesta fall är det möjligt att skilja även mellan *släktena* inom familjen. De verkliga problemen uppstår när olika *arter* inom

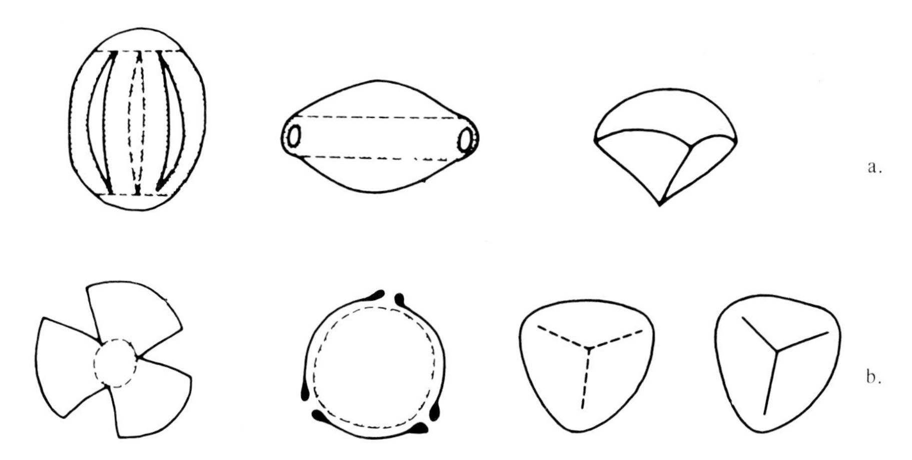

Fig 10. Pollenkorn och sporer kan ha många olika former, varpå här ges tre förenklade exempel.
a. = sedda från sidan
b. = sedda uppifrån/nerifrån (efter Moore & Webb, s. 38).

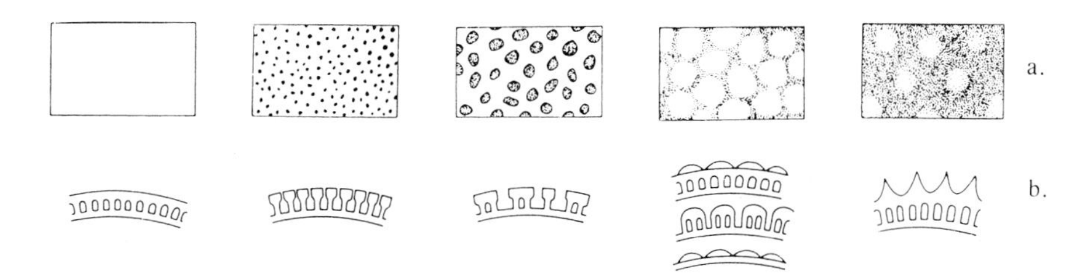

Fig 11. Exinet är ofta skulpterat på ett sätt som bidrar till att ge pollenkornen ett för de olika växterna artkarakteristiskt utseende. Ovanstående exempel visar exinets yttersta lager sett utifrån (a) och i genomskärning (b). (efter Moore & Webb, s. 42).

samma släkt skall skiljas från varandra. Noggranna observationer av de olika dragen i utseendet och kombinationer av små skiljaktigheter kan göra även sådana finare bestämningar möjliga. Så har t.ex. grässlagen, till vilka även våra sädesslag räknas, alla runda, glatta korn med 1 por. Men pollenkorn från sädesslagen (inkl. den vildväxande strandrågen) särskiljer sig genom att vara betydligt större. Noggrannheten i artbestämningen är följdenligt i hög grad beroende av mikroskopets kvalité. De moderna faskontrast- och svepelektronmikroskopen har sålunda väsentligt förfinat den pollenanalytiska metoden.[42] De har bl.a. gjort det möjligt att skilja mer tillförlitligt mellan de olika sädes-

[42] Jfr. t.ex. Irmeli Vuorela, Bebyggelseutvecklingen i södra Finland belyst av pollenanalyser (Föredrag vid DNÖP:s symposium i Kungälv 27—29 augusti 1973. Symposierapport i stencil. Göteborg 1974), s. 35 ff.

slagen. Ytterligare metodutveckling har skett genom att man infört avancerade statistiska beräkningsgrunder beträffande storleksiakttagelser m.m. varigenom även svårbestämbara pollen kunnat klassificeras.[43]

Pollenspridningen

Sedan pollenkornet bildats i blommans hanorgan måste det på ett eller annat sätt överföras till honorganet för att befruktningen skall kunna äga rum. Sättet för denna överföring varierar mellan de lika växterna. De flesta växter är *insektspollinerade* dvs. insekter för pollenkornen från blomma till blomma. Andra växter är *vindpollinerade* och deras pollen är lätta och torra för att lätt kunna föras med vinden. De allra flesta av dessa pollen kommer aldrig fram till honorganet men befruktningen är ändock säkerställd genom den oerhörda mängd pollen som varje planta producerar. De växter som utnyttjar insekter eller andra djur för pollenspridning producerar dock väsentligt färre pollen än de växter som sprider sina pollen med vinden. De senare är de i särklass största pollenproducenterna. Så har det vindpollinerade sädesslaget råg upp till 500 ggr så stor pollenproduktion som de *självpollinerade* (= pollen överförs från ståndarna till pistillen i samma blomma) sädesslagen korn och havre.

För att få ett begrepp om vilka mängder det rör sig om kan några siffror nämnas. Man har beräknat att en enda liten planta av ängssyra producerar 400 miljoner pollenkorn/år, en 10-årig gren av bok producerar över 28 miljoner pollen/år etc. De syd- och mellansvenska granskogarna skulle ett rikt blomningsår producera 75.000 ton pollen för att då inte tala om hur mycket de norrländska granskogarna producerar. Lägger man samman de olika trädslagen kan man konstatera att de är flera miljoner pollen som under blomningssäsongen faller ned på en enda kvadratmeter skogsterräng. De pollen som faller ned på myrar kommer där att bäddas in i de våta torvlagren och på så sätt bevaras under långliga tider. Dessa pollenlager fylls på varje år under blomningssäsongen. Liknande förhållanden gäller för de pollen som faller ned över sjöar, där de så småningom sjunker till botten och lagras i sjöns bottensediment. Från dessa naturens arkiv kan de sedan hämtas upp t.ex. i form av en uppborrad sedimentpropp.

De enorma pollenmängderna skapar således goda möjligheter för olika typer av mängdberäkningar t.ex. när det gäller att avgöra en växt procentuella andel i olika pollenspektra. Men mellan växterna varierande former för pollenproduktion och pollenspridning skapar också metodiska problem. En växt

---

[43] Se t.ex. Björn E. Berglund, Pollen analysis (Paleohydrological...); jfr. även Iain Colin Prentice, Modern pollen spectra from lake sediments in Finland and Finnmark, north Norway (Boreas. An international journal of Quaternary geology. Vol 7 nr 3. Oslo 1978), spec. s. 150 f.

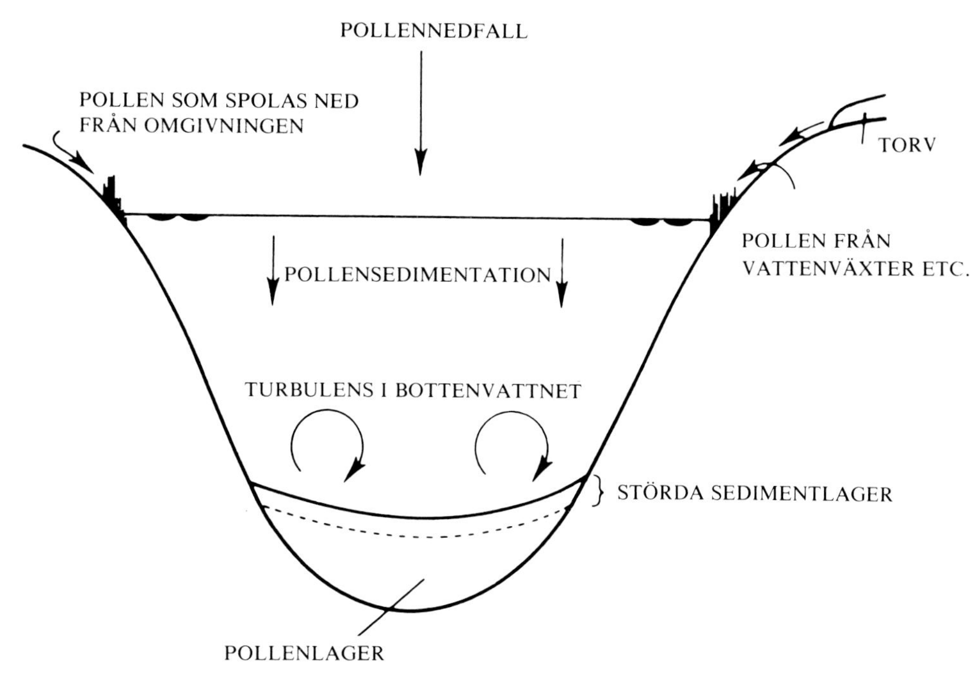

Fig 12. Arkivbildning i pollenarkivet. Från olika håll samlas pollen på sjöns yta för att så småningom sjunka till botten. Bottenväxter och djur sätter fart på vattnet närmast botten, varför de övre sedimentlagren i denna oftast blir störda. Därunder ligger lika ofta pollen lagrade i prydliga sedimentskikt. (ur Moore & Webb, s. 12).

som är en stor pollenproducent kan således representera en stor procentuell andel av den totala pollensumman, utan att tillnärmelsevis ha varit ett lika betydande inslag i den reella växtligheten på platsen. Å andra sidan kan växter med låg pollenproduktion och dålig spridningsförmåga, t.ex. de självpollinerade sädesslagen korn och havre, ha utgjort ett viktigt inslag i kulturlandskapet utan att för den skull överhuvudtaget bli representerat i pollenregnet på platsen.[44] I den pollenmängd som frigörs ett givet produktionsår kommer vindspridda pollen att dominera oerhört över andra typer av pollen. Bland sädesslagen blir den vindpollinerade rågen starkt överrepresenterad och kan stundtals svara för hälften av den totala sädespollenmängden utan att ha motsvarande andel av den verkliga odlingen.[45] Vissa forskare har vid olika beräkningar försökt lösa problemet metodiskt genom att med 3/4 reducera pollenmängden från de stora pollenproducenterna som al, björk, hassel och råg för att på så sätt få en verkligare förekomstrelation mellan dessa och andra väx-

---

[44] Jfr. Magnus Fries, Pollenanalyser från Åland (Åländsk odling 1963. Mariehamn 1963), s. 114.

[45] Se Magnus Fries, Pollenanalytiskt bidrag till vegetations- och odlingshistoria på Åland (Finskt Museum LXVIII. Helsingfors 1963), s. 15.

ter.[46] Problemet har dock många sidor. I för rågen marginella uppväxtmiljöer t.ex. Nordkalottområdet avtar dess pollenproducerande förmåga markant och redan så små procentandelar som 0,2—0,6 % av den totala pollensumman är här tecken på förekomst av rågodlingar inom provområdet. Framförallt gäller detta i de fall rågpollen förekommer i flera på varandra följande lager.[47] Genom att trädpollen förekommer i så riklig mängd inom detta nordliga område är det överhuvudtaget lätt att spår efter människan i form av andra växtpollen här helt och hållet försvinner i trädpollenmängden.[48] Därtill kommer problemet med långflyktspollen. Det är återigen framförallt de vindtransporterade pollenslagen som komplicerar beräkningarna. Dessa kan med vinden föras miltals bort från den producerande plantan. Så har man t.ex.

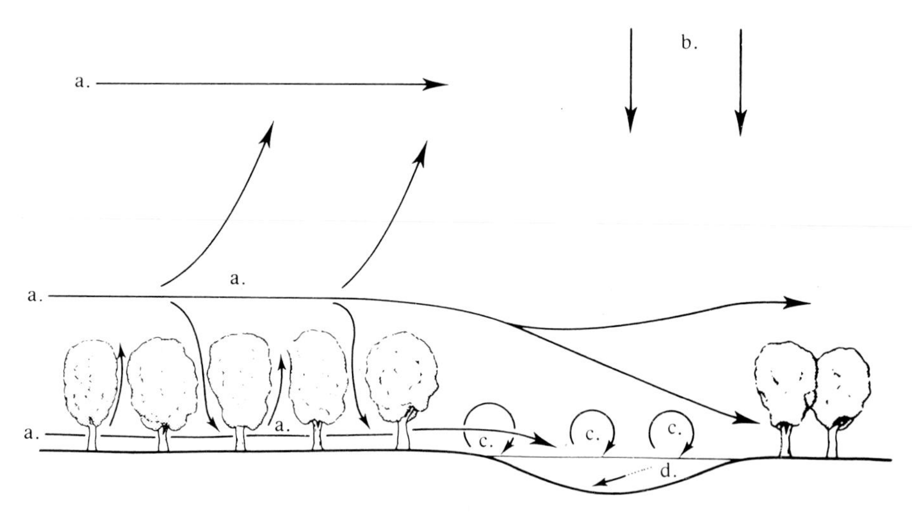

Fig 13. Faktorer som påverkar pollennedfallet i en sjö eller myr. Olika typer av vindar (a) får olika effekter. De kan både befrämja och avstyra att pollen faller ned till sjöns/myrens yta. Regn (b) för ofta med sig pollen från högre liggande luftlager. En stor del av pollenmängden kommer från lokal vattenvegetation (c). Bäckar etc som har sitt utlopp i sjön/myren för ofta med sig pollen (d). Pollenanalytikern måste vid sin tolkning av pollendiagrammet med åtföljande rekonstruktion av det historiska vegetationslandskapet försöka hålla alla dessa faktorer under kontroll. (ur Moore & Webb, s. 100f).

---

[46] I Iversens efterföljd har denna metod tillämpats av bl.a. Berglund (t.ex. Björn E. Berglund, Late-Quaternary vegetation in eastern Blekinge, southeastern Sweden. A pollenanalytical study. I. Late-Glacial time. II. Post-Glacial time. Opera Botanica 1—2. Lund 1966, s. 165) och Fries (t.ex. Magnus Fries, Vegetationsutveckling och odlingshistoria i Varnhemstrakten. En pollenanalytisk undersökning i Västergötland. Acta Phytogeographica Suecica 39. Uppsala 1958, s. 16 och Fries, Pollenanalyser, s. 113). Alla forskare ansluter sig inte till detta metodiska synsätt varför det är nödvändigt att alltid informera sig om en undersöknings förutsättningar innan man bygger på dess resultat — en allmän regel som inte blir mindre viktig att upprätthålla när det gäller undersökningar inom andra discipliner än den egna.

[47] Se Karl-Dag Vorren, Et pollenanalytisk bidrag til spørsmålet om det eldste jordbruk i Nord-Norge (Viking. Tidsskrift for norrøn arkeologi. Bind XXXIX. Oslo 1976), s. 181 ff.

[48] Se Irmeli Vuorela, Pollen analysis as a means of tracing settlement history in SW-Finland (Acta Botanica Fennica 104. Helsinki 1975), s. 30 ff.

funnit furupollen flera hundra kilometer från närmsta furuskog. Tack vare undersökningsområdets isolerade läge och den förmodat glesa bebyggelsen får problemet med fjärrtransport inga större metodiska konsekvenser för de pollenanalyser som gjorts å material från lokaler i norra Bottenviksområdet.[49] Men problemet kan också vara det omvända. Tät vegetation har nämligen en viss filtereffekt. Så kan en tätvuxen granskog dels t.ex. runt en liten sjö hindra att vindtransporterade pollen faller ned på sjöns yta och dels t.ex. runt små odlingar hindra att pollenflykt från odlingsväxterna överhuvudtaget förekommer.[50] Metodutvecklingen inom den paleoekologiska forskningen får dock allt fastare grepp om dessa problem. Vi skall här inte fördjupa oss närmare i dem utan stanna vid att ha skisserat deras förekomst för att med dem som bakgrund senare kunna diskutera de pollenanalytiska forskningsresultaten.

Människan och växtsamhällena

Jag har tidigare framhållit att vi är intresserade av pollenanalysen och dess resultat i första hand för att vi med hjälp av dem skall kunna belysa bebyggelsehistoria och landskapsutveckling i Norra Bottenviksområdet. Vi har ovan kunnat konstatera att fossila pollenkorn ger möjlighet till rekonstruktion av gångna tiders växtsamhällen och dessas förändringar. Kan man fastställa människans roll i dessa förändringar har man förmodligen också fått fatt i en betydelsefull bit av bebyggelsehistorien. Men för att sådana rekonstruktioner skall kunna genomföras krävs kunskap om växternas miljökrav, om samspelet mellan dem och om orsaken till förändringar i detta samspel. Teorier som ger underlag för sådan kunskap utvecklas framförallt inom växtekologisk forskning. En självfallen utgångspunkt är därvid erfarensmässigt inhämtad, lättbearbetad och lättkontrollerad kunskap om det *nutida* landskapet, dess vegetation och markanvändning. Denna kunskap, som t.ex. kan inhämtas genom pollenanalys av ytsediment, ger en slags parlör med vilken det går att tolka den fossila pollenflorans vittnesbörd om äldre tider.[51] De paleo-

---

[49] Den förhållandevis låga bebyggelsetätheten har å andra sidan resulterat i betydligt svagare spår i de "biologiska arkiven" än söderut. För att fånga upp dessa svaga spår ställs högre krav på analystäthet och metodens förfining än för undersökningar från lokaler i mer bebyggelsetäta områden. Se Kimmo Tolonen, Paleoekologiska vittnesbörd om forntida liv och villkor i norra Fennoskandien (Nord-skandinaviens historia i tvärvetenskaplig belysning. Utg. av Evert Baudou & Karl-Hampus Dahlstedt. Umeå 1980), s. 29 f.

[50] Se Vuorela, Pollen analysis, s. 31.

[51] Jfr. diskussionen i Björn E. Berglund & Roland Gustavsson, Odlingslandskapets framväxt i Blekinge (Blekinges Natur 1980. Karlskrona 1980), s. 107 ff. samt s. 121; se även Noel Broadbent, Coastal resources and settlement stability. A critical study of a mesolithic site complex in northern Sweden (With a contribution by Roger Engelmark: The Paleoenvironment. AUN 3. Uppsala 1979), s. 178. I en metodiskt inriktad uppsats har Iain Colin Prentice visat hur man med vetskap om den nutida relationen mellan pollen och vegetation kan härleda den regionala vegetationshistorien utifrån pollenförekomsten i sjösediment. *Palynologiska* (= läran om pollenkornen) överblickar beträffande sjösediment från olika vegetationszoner ger därvid underlag för bestämning av den regionala vegetationshistorien. Se Prentice.

ekologiska resonemangen kommer alltså huvudsakligen att grundas på *analogislut* dvs. eftersom företeelserna överensstämmer i vissa avseenden är det sannolikt att de även överensstämmer i andra. Det finns ju inte heller något skäl att antaga att växternas krav och beteende nu skulle vara väsentligt annorlunda i förhållande till förr. Sedan vi sålunda klargjort de paleoekologiska resonemangens karaktär skall vi ta del av deras huvudsakliga innehåll vad beträffar människans roll vid naturlandskapets omgestaltning. Det kan dessförinnan vara på sin plats att påpeka, att viktiga vegetationsförändringar och omgestaltningar av naturlandskapet självfallet sker även utan mänsklig påverkan. Förändring är ett naturligt tillstånd för naturlandskapet och ett viktigt karakteristikum på varje ekosystem.[52] Ett illustrativt exempel skall andras.

Vid sin undersökning av sötvattensmiljön och dess förändring i Prästsjön nära Umeå har Ingemar Renberg kunnat visa hur sjön skiftar karaktär.[53] Från att ha varit en förhållandevis stor sjö omgiven av strandängar med olika gräsarter som dominerande växtinslag och med en artrik flora vattenväxter, övergår den till att bli en liten, näringsfattig sjö med brunt humusrikt vatten, omgiven av träskmarker och med en artfattig och sparsamt förekommande vattenvegetation. Detta karaktärsskifte är förorsakat av den omgivande landytans långsamma förändring genom bl.a. isens tillbakadragande och landhöjningen. Förändringen är ganska typisk för sjöar som tillblivit genom landhöjning. Efter isolering från havet medför fortsatt landhöjning att en sådan sjö förändras på ovan beskrivet sätt. Människan har inte spelat någon roll vid denna förändring. Lika lite har hon haft någon betydelse för den väldiga omdaning av skogsbeståndet som äger rum bl.a. i Norrland på tusentalet före kristus, då granens invandring äger rum.[54] För Norrlands del är detta en av de viktigaste vegetationshistoriska förändringarna överhuvudtaget. Variationer i förekomsten av trädpollen kan alltså ofta hänföras till sådana s.k. naturliga skogssuccessioner. Men låt oss dröja ytterligare en liten stund vid granen.

För att växterna, t.ex. granen, skall kunna leva och föröka sig krävs ljus, temperatur, vatten och näringssalter. De olika växterna har sinsemellan varierande behov av dessa komponenter, vilket skulle kunna kallas resp.växts miljökrav. Förekomsten av en växt ger därmed också omedelbart information om hur miljön på förekomstplatsen måste vara eller ha varit.

---

[52] Se t.ex. Pehr H. Enckell, Människans influens på de naturliga ekosystemen (Uppsalasymposiet 1973. Ekologi, kulutlandskapsutveckling och bebyggelsehistoria. Medd. från Kvartärgeoliska avd. vid Uppsala Universitet. Stencil. Uppsala 1974); Bengt Nihlgård & Sten Rundgren, Naturens dynamik (Lund 1978), s. 16 ff eller Energi og udvikling i Økosystemer (1980), s. 44 ff. För de allmänna ekologiska resonemangen i den följande framställningen hänvisas till dessa arbeten samt i viss mån till M. G. Stålfelt, Växtekologi (Stockholm 1969).

[53] Se Ingemar Renberg, Palaeolimnological investigations in lake Prästsjön (Early Norrland 9. Motala 1976), s. 141 ff.

[54] Se t.ex. Vuorela, Pollen analysis, s. 31 ff.

Granen behöver t.ex. vintervila och kräver därför ett stabilt vinterklimat med minst 120 frostdagar. Bortsett från tallen och den vanliga björken är dock granen mindre krävande än de flesta andra träd vad beträffar sommartemperaturen. Redan vid +7° gror fröna. Men för att fröna skall mogna krävs en medeltemperatur på c:a +10° under växtsäsongen juni-september. Granen är också krävande vad beträffar markförhållandena såväl vad gäller näring som fuktighet. Granens ytliga rotsystem gör den nämligen mycket känslig för grundvattenförändringar. Då är tallen med sitt djupgående rotsystem betydligt mer motståndskraftig mot torka. Granens utbredning är därför begränsad till områden med ganska hög årsnederbörd, minst 220 mm under maj-september.[55] Varje existerande växts miljökrav skulle kunna beskrivas på motsvarande sätt. Alltefter det mest framträdande draget i växtens miljökrav sorterar växtekologen in dem i huvudgrupper som *nitrofila* (= kvävekrävande), *heliofila* (= ljusälskande) eller dessas motsats *heliofoba* (= ljusrädda) osv. Av ovanstående exempel framgår att växternas förekomstvariationer ger upplysning om bl.a. viktiga naturhistoriska förändringar t.ex. klimatförändringar. Men den mänskliga aktivitetens betydelse för naturlandskapets omgestaltning i gångna tider skall på intet sätt underskattas.

Så länge som människan levde på jakt och fiske samt insamling av vilda växter förde hon av nödvändighet en kringflyttande tillvaro. Hon ingick då som en "naturlig" del i ekosystemen och hon påverkade inte alls naturlandskapets huvudsakliga utseende.[56] Det är därför också mycket svårt att vid pollenanalys finna spår efter aktiviteter på en fiskar- och jägarboplats.[57] Som vi ovan konstaterat hade naturarrangemangen-ekosystemen (i mer inskränkt biologisk mening) sålunda förändrats även utan människans närvaro. Denna förändring är lagbunden och kan med rätt stor säkerhet förutsägas. Oberäkneligheten kommer i och med att människan byter roll och från att ha varit en del av ekosystemen i stället försöker styra systemen efter bästa eller sämsta förmåga. De första stora dramatiska ekologiska förändringarna kommer i och med människans övergång till fast bosättning med därmed förenat jordbruk. Redan ett skonsamt utnyttjande av ett växtsamhälle får genomgripande biologiska verkningar.[58] Växtodlingens huvudprincip är ju att avlägsna det

---

[55] För ovanstående beskrivning av granens miljökrav se Ulf Hafsten & Thyra Solem, Age, origin and palaeo-ecological evidence of blanket bogs in Nord-Trøndelag, Norway (Boreas vol 5 nr. 3. Oslo 1976), s. 134 ff. Vid Hafsten & Solems pollenanalytiska undersökning av ett område i norra Norge konstaterades att odlingspåverkan på vegetationsutvecklingen saknades helt. För en klimathistoriker var detta en metodisk fördel eftersom de flesta vegetationsförändringarna då kunde hänföras till klimatförändringar.

[56] Se i Hans Sundström, "Gamla stränder finns ej mer..." (Faravid 4. Kuusamo 1981), s. 96 ff anförd litteratur.

[57] Se Berglund, Late-Quaternary vegetation, s. 166, ff.

[58] Jfr. här även Vuorela, Pollen analysis, s. 30 f. Vuorela visar hur skogsröjning och röjning för vägar ändrar artsammansättningen och ofta för in helt nya arter. De mänskliga transportsystemen kan föra arter från en lokal till en annan, dit de eljest aldrig skulle ha kommit.

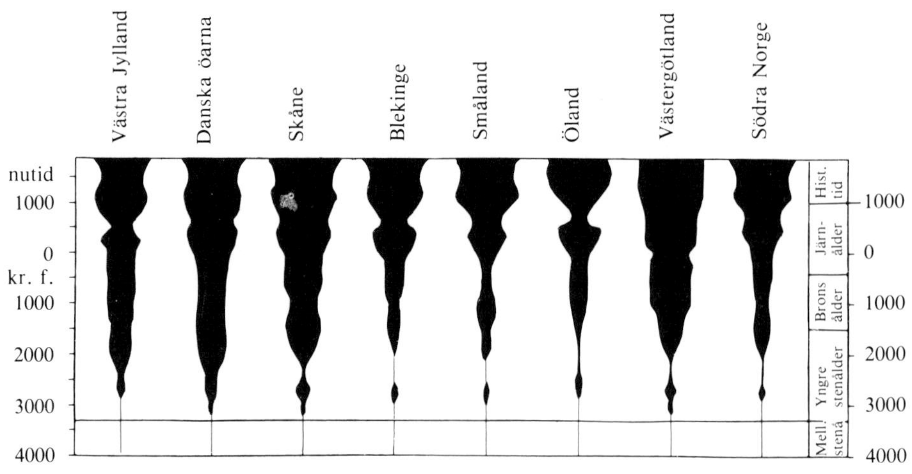

Fig 14. Det mänskliga inflytandet på landskapet i södra Skandinavien. Diagrammen bygger på gjorda pollenanalyser och avspeglar pollenförekomsten från sådana växter som har samband med boskapsskötsel och jordbruk. Endast några få pollenanalyser har ännu gjorts inom resp. område varför bilden är starkt generaliserad. (ur Berglund, Vegetation, s. 21).

naturliga växttäcket och ersätta det med ett annat.

Den s.k. neolitiska revolutionen då idén om skogsröjning spreds ledde t.ex. till en total omstrukturering av vegetationsmönstret i Norden och nordvästra Europa. Detta finns det tydliga bevis för genom den ''landnamsfas'' som kunnat iakttagas vid pollenanalyser av material från lokaler i Danmark och Sydsverige, och vilken kol 14-daterats till c:a 2.500 f kr.[59]

Den äldsta formen av jordbruk är förmodligen betesbruk. I förhållande till den ringa arbetsinsatsen ger det stor avkastning. Ängen och betesmarken kom också att väsentligt prägla det svenska kulturlandskapet.[60] Vid 1700-talets mitt påverkade åkerbruket fortfarande knappast alls landskapsbilden även om det då ekonomiskt sett var en viktig del av jordbruket. Betningen avspeglar sig också mycket tydligt i den fossila pollenflorans sammansättning.

När människan huvudsakligen levde på jakt och fiske samt insamling av örter och bär måste skogen enbart ha varit en stor tillgång. I och med övergången till boskapsskötsel och fast bosättning blev skogen ett stort hinder. Visserligen fanns det stora arealer naturligt bete i hel- och halvgräsvegetationen å de sanka stränderna vid sjöar, floder och hav. Det var också kust-

---

[59] Den neolitiska revolutionen är omvittnad av de flesta paleokologer. Se vidare härom nedan s.

[60] För nedanstående allmänna beskrivning av det svenska odlingslandskapets utveckling och beståndsdelar se t.ex. Stålfelt, s. 343—385; Berglund & Gustavsson, s. 107—134; jfr. Björn E. Berglund, Vegetationsutvecklingen i Norden efter istiden (Sveriges Natur 1968), s. 31—32. För de ekologiska resonemangen se även under not 52 anförd litteratur. Rekonstruktionen av det äldre odlingslandskapet och dess ekologiska system grundas bl.a. på kunskap som nåtts vid olika pollenanalytiska undersökningar. Denna kunskap bildar sedan referensramar inom vilka nya pollenanalytiska resultat kan tolkas.

Fig 15. Svedjeodling. Svedjebruket har förmodligen inte genomgått några större tekniska förändringar under tidernas lopp. Arbetsatmosfären i Eero Järnefelts protestbild över jordbruksproletariatets hårda villkor vid 1800-talets slut äger därför giltighet för svedjebruket i allmänhet. (efter Konsten i Finland, ed. Sixten Ringbom. Helsingfors 1978. s. 199).

trakterna som koloniserades först och fick den talrikaste befolkningen. Men detta strandbete var inte särskilt bra bete. Djuren föredrog det mer näringsrika och omväxlande fastmarksbetet. I nordliga områden eller då klimatet försämrades kunde djuren inte gå ute året om, varvid uppstod behov av vinterfoder. Även här utnyttjade man i första hand våtängarna. Men redan på ett tidigt stadium hade åkerbruket införts och utvecklades sedan parallellt med boskapsskötseln. För att få fastmarksbete, odlingsytor och fastmarksutrymmen för tomt och gårdsplan måste skogen röjas. Människan börjar nu fälla skog och påverkar härigenom uppväxtmiljön för djur och växter. Hon bränner och odlar. Härigenom kommer hon att bryta näringskedjor och skapa förenklade växtsamhällen. Växternas naturliga konkurrens och urval sätts ur spel. Det var först åsar och moränbackar som togs i bruk för svedning. Då folkmängden var ringa och markutrymmet stort kunde svedjebruket rotera och nya områden togs ständigt i anspråk. De första åren gav sveden nämligen mycket goda skördar korn eller råg. Men redan efter ett par år minskades skördarna drastiskt och sveden övergick till ogödslad äng, den s.k. fastmarksängen.

Även denna blev så småningom allt mindre givande, varefter sveden övergavs. När en gammal granskog skulle uppodlas höggs den ned det första året, varefter den brändes det andra året för att nästa år återigen brännas och då också besås med råg. Endast en skörd togs, varefter den lämnades i fred i 40—50 år.[61] Då bebyggelsen tätnade ökade uttaget från fastmarksängen, som därefter gav ännu mindre och snart måste överges.[62] Betestrycket ökade också på allt större avstånd från bebyggelsen. I kristider övergavs dessa områden först. Då betesgången minskade återvände snart skogen. Dessa former för markutnyttjande har således ett klart urskiljbart regelbundet återkommande förlopp. Detta avspeglas också i sammansättningen av den fossila pollenfloran.

Parallellt med sveden utvecklades den permanenta åkern även om denna utveckling gick mycket långsamt. Mycket kanske beroende på att skördarna från sveden var överlägsna den permanenta åkerns skördar både vad beträffar kvantitet och kvalitet. Sveden kunde ge upp till 16—24 ggr det sådda kornet. Svedjandet förutsatte dock obegränsat markutrymme och en ständigt roterande odling. Men den permanenta åkern förutsatte å sin sida att odlingsytan ständigt tillfördes lika mycket näring som genom odlingen bortfördes t.ex. i form av spannmål. Den permanenta åkern förutsatte med andra ord gödsling, och kunde därför endast utvecklas genom näringstillförsel från äng och betesmark. Men därigenom ökades långsamt också bristen på näring i dessa växtsamhällen. Störst motståndskraft hade å-, sjö- och kärrängar den s.k. sidvallsängen eftersom förrådet av salter och humus här ständigt fylldes på genom de årliga översvämningarna. Detta är mycket markerat i Tornedalen där sedimentholmarna i älven, spec. de stora holmarna i Hietaniemi-selet, varje vår vid snösmältning och islossning översvämmas och därvid erhåller påfyllning av sedimentlagren.[63] Sedan urminnes tid har också hö bärgats från dessa holmar. Genom denna överföring av näring från äng och betesmark till åker blev framförallt ängen grunden för såväl jordbrukets djurproduktion som dess växtproduktion. Det ställde dock krav på att ängsytorna var betydligt större än åkerytorna. Ibland kunde ängen uppta ända upp till 20 ggr så stor yta som åkern. Det är därför naturligt att vid pollenanalys spåren efter äng och betesmark i så hög grad kommer att dominera över spåren efter åkerns vegetation.

När mark vid nyröjning togs i bruk för odling infördes i landskapet främmande växter som sädesslag och därmed sammanhörande artrikt ogräs.

Betet fanns på utmarkernas hagar och hedar. En del av inägomarken utnyttjades för foderanskaffning antingen direkt genom bete eller genom

---

[61] För detta se Yrjö Vasari, The state of palaeoethnobotanical research in northern Finland (Folia Quaternaria 47. Krakow 1976), s. 91.

[62] Jfr. här den diskussion som O. Zackrisson för kring utvecklingen av byn Kåddis nära Umeå. Olle Zackrisson, Vegetation dynamics and land use in the lower reaches of the river Umeälven (Early Norrland 9. Motala 1976); Engelmark, The vegetational history, s. 99 f.

[63] Se Sundström, Stränder, s. 104; Sundström, Bondebygd, s. 169 ff samt där anförd litteratur.

a.

b.

Fig 16a. Översvämning i Tornedalen, i detta fall nedanför Luppioberget. På detta sätt naturgödslas varje år de flacka älvstränderna och sedimentholmarna ute i älven. Dessa naturgödslade strandängar ger vinterfoder åt kreaturen vilket de många ladorna vältaligt vittnar om. Foto: L. G. Sjöholm; ur Bildarkivet, Norrbottens Museum.

Fig 16b. Närbild på nyslagen ängsholme vid Mattila. Ur Bildarkivet, Norrbottens Museum.

slåtter. Genom denna typ av markutnyttjande skapades speciella ekosystem, där de ingående växterna visserligen redan fanns i den ursprungliga floran, men samspelet mellan dem blev ett annat. Slåtterängar, hedar och fäladsmarker representerar sådana tillskapade områden.

Vi skall nu övergå till att diskutera just hur enskilda växters förekomst i den fossila pollenfloran kan ge underlag för rekonstruktion av gångna tiders ekosystem. Detta är återigen endast möjligt om det finns kunskap att tolka den miljöinformation som varje växt är bärare av.

Pollenkornens vittnesbörd[64]

Vi skall nu behandla den fråga som vi i det föregående tangerat flera gånger, nämligen hur det är möjligt, att pollenkornen kan ge besked om sin tids odlingslandskap och mänskliga verksamhet. Tidigare i framställningen har vi antytt att förändringar i pollenlagren *(pollenstratigrafin)* i sin tur kan tänkas bero på

— kulturhistoriska förändringar (mänsklig verksamhet)
— naturhistoriska förändringar (klimat, landhöjning, jordmån etc)

Problemet med i vilken grad pollenspektra avspeglade resp. växtsamhälle studerades tidigt av Erdtman, en av pollenanalysens främste metodutvecklare. Han attackerade sådana frågor som i vilken grad ett pollenspektrum från ett växtfattigt område avspeglade mer avlägset liggande men växtrika växtsamhällen, eller hur förhållandet mellan växtsamhälle och pollenspektrum påverkas av växtsamhällenas täthet och struktur. Redan här framfördes kravet på att med ledning av pollenanalysens siffervärden ge en så klar bild som möjligt av de skilda pollenproducenternas verkliga inslag i naturen. Därav följer som en självklarhet att man måste ha kontroll över växternas pollenproduktion, pollenegenskaper, vanliga utbredning etc. Detta har vi tidigare diskuterat. Men med utgångspunkt från sådan kunskap skapade Erdtman en slags botaniska nycklar med vilkas hjälp man skulle komma åt den fossila pollenflorans vittnesbörd om den vegetationshistoriska utvecklingen.[65]

---

64 Nedanstående framställning grundas i sina huvuddrag på Faegri, Pollenanalysen; Faegri & Iversen och Moore & Wedd. Metodiskt intressanta diskussioner återfinns i Fries, Vegetationsutveckling; Berglund, Late-Quaternary vegetation; Vuorela, Bebyggelseutvecklingen; Sheila Hicks, Pollen analysis and archaeology in Kuusamo, north-east Finland, an area of marginal human interference (Institute of British Geographers, Transactions. New Series. Vol 1 nr 3. Oxford 1976); Prentice; Christian Reynaud & Mervi Hjelmroos, Pollen evidence and radiocarbon dating of human activity within the natural forest vegetation of the Pohjanmaa region (northern Finland) (Candollea 35. Genève 1980); Pertti Huttunen, Early land-use, especially the slash-and-burn cultivation in the commune of Lammi, southern Finland, interpreted mainly using pollen and charcoal analyses (Acta Botanica Fennica 113. Helsinki 1980); samt framförallt Vuorela, Pollen analysis.

65 G. Erdtman, Pollenspektra från svenska växtsamhällen jämte pollenanalytiska markstudier i södra Lappland (Geologiska Föreningens i Stockholm förhandlingar Bd 65 h.1. 1943), s. 38—52.

Variationer i pollenspektra kan t.ex. bero på regionala variationer av jordmån och klimat. Dessa naturhistoriskt betingade variationer kan i sin tur bidra till olika typer av naturresursutnyttjande från människans sida. Människans aktivitet kan på så sätt förstärka redan existerande variationer.[66] Människans första stora ingrepp i naturen var då hon började röja och decimera skogen, vilket i pollenlagren omvittnas genom att

— mängden skogsträdpollen per prov minskar
— mängden långflyktspollen per prov ökar. Om t.ex. pollen från tall och gran förekommer i stor mängd, trots att undersökningsområdets mark anses olämplig som växtplats för dessa träd, måste det röra sig om långflyktspollen. Dessa har sålunda haft möjlighet att utan någon hindrande skog slå ned på sjöns/myrens yta och så efter sedimentation avteckna sig i pollenspektrat.[67]

Själva landnamsfasen då odlingen etableras har i pollenlagren efterlämnat:

— direkta spår (pollen av sädesslag, ogräs etc)
— indirekta spår (störningar i trädbeståndets sammansättning)

När sedan jordbruket expanderar medför de *verkliga* förändringarna motsvarande förändringar i pollenspektra:

mer åkermark/odlad mark ————	ökande andel åkermarksindikatorer
större betesmarker ————	ökande andel betesmarkindikatorer
ökad odling ————	ökande andel kulturgynnade växter
skogsröjning ————	minskande andel skogspollen men ökande andel ljusälskande växter

På omvänt sätt avspeglas ett stagnationsskede med minskad odling i minskande andel kulturindikatorer och den igenväxande kulturmarken i en ökande andel pollen efter buskar och sekundärskog. Stagnationsskedena mellan expansionsskedena kännetecknas av att ytterkantsområden och andra marker överges för kortare eller längre tid, varvid skogen tar tillbaka områden som tidigare röjts. Denna skogens återinvandring på tidigare öppnad mark är också klart avläsbar i den fossila pollenflorans lagerföljd.[68]

Det är dock i detta sammanhang viktigt att påpeka att andelen kulturpollen i pollenbeståndet inte bara är beroende av odlingens omfattning utan även av provlokalens avstånd från bebyggelse och odling samt de vindpollinerade pollenkornens spridningsmönster i området.[69] Ett i närheten av provlokalen

---

[66] Se Prentice, s. 150.

[67] Se t.ex. Fries, Vegetationsutveckling, s. 26 ff.

[68] Se t.ex. Björn Berglund, Paleoekologisk metodik och paleoekologiska vittnesbörd om det förhistoriska odlingslandskapets framväxt i Sydsverige (Människan, kulturlandskapet och framtiden. KVHAA/Konferenser 4. Stockholm 1980).

[69] Se Vuorela, Bebyggelseutvecklingen, s. 31 ff. Vuorela exemplifierar detta från sitt undersökningsområde: Trots sin i förhållande till andra sädesslag höga pollenproduktion är råg förhållandevis svagt representerat i pollendiagram från södra Finland. Korn och havre har faktiskt starkare representation. Men provlokaler läggs ju i allmänhet nära känd bosättning. Korn och havre odlades på permanenta fält nära bosättningsbyn. Råg odlades på små och kringspridda svedjefält långt borta från bosättningen!

kringflyttande svedjebruk måste nödvändigtvis avspegla sig i pollenspektrum som en serie regelbundet återkommande expansions- och stagnationsskeden.

Men det är inte någon självklarhet att människans aktivitet avspeglas i pollenlager från aktuellt område. Pollenanalysen ger heller aldrig besked om hur omfattande bosättning som funnits på platsen. Bosättningen kan i princip ha varit hur stor som helst utan att kunna spåras vid pollenanalysen, såvida den inte haft sådan verksamhet som påverkat vegetationen.

Det finns t.ex. inte något bevis för att växter kommit till användning (insamling) inom de för-neolitiska kulturerna i Norrland. Insamling av växter kräver emellertid inte något verktyg till skillnad från den mest primitiva jakt. Jaktredskapens dominans i det arkeologiska fyndmaterialet från Norrland vid denna tid är alltså intet bevis för att jakten haft en motsvarande dominerande ställning som näringsgren.[70] Detta har onekligen metodiskt intresse och understryker källmaterialets begränsningar. Insamling av växter medför ju heller inte till skillnad från odlingen någon systematisk omstrukturering av vegetationen, varför denna verksamhet inte kommer att avtecknas i något pollenlager. Det har förmodligen också förekommit odlingsförändringar utan att dessa är möjliga att spåra vid pollenanalys. Det som framträder vid denna är förmodligen bara skärvor av en invecklad odlingshistorisk mosaik. Men dessa skärvor räcker för att konstatera den oerhört viktiga roll som jordbruket spelat för vegetationsutvecklingen. Det har gynnat vissa växter och hämmat andra.

Jordbrukets ekologiska konsekvenser har ovan (s. 33 ff) berörts närmare och vi skall här bara konstatera att dessas omfattning knappast kan underskattas.

Vi har också tidigare kunnat konstatera att åkern för sin existens krävde gödsling, vilket krävde betesdjur, vilka i sin tur för *sin* existens krävde betesmarker och foderängar. Denna näringsöverföring innebar för varje led i kedjan större koncentration. För sin existens krävde alltså åkern flera gånger större ytor betesmark. Av kulturanknytna verksamheter är det också i första hand betningen som omvittnas i den fossila pollenfloran.[71] Även om pollen från de växter som har åkern som uppväxtmiljö, utgör ett blygsamt inslag i den fossila pollenmängden är dock dessas förekomst i regel ett entydigt besked om åkerns existens. Något mer komplicerat tycks det vara att fastställa vilka växter som är s.k. betesmarksindikatorer. Det är således t.ex. fortfarande omdiskuterat hur pass stark indikator på boskapsskötsel som filipendula (=älgört, mjödört, brudbröd) är.[72] Eftersom nässla och mållor är starkt kväveberoende växter och det i stort sett endast är djurens gödsel eller den nyupptagna sveden, som kan ge den kväveanrikning av marken, som växten kräver,

---

[70] Se Broadbent, s. 171 f.

[71] För diskussion kring detta se redan Fries, Vegetationsutveckling och spec. Berglund, Late-Quaternary vegetation.

[72] Se hos Reynaud & Hjelmroos, Pollen evidence, s. 281.

Fig 17. Älgört — en av invånarna i betesmarkernas växtsamhälle.
a. Pollen (ur Moore & Webb, bildsida 32)
b. Vuxen planta (Teckning: Dagny Tande Lid; ur Johannes Lid, Norsk og Svensk flora. Oslo 1974. s. 429).

anser många forskare, att förekomsten av dessa växter ensamt är tillräckligt bevis för förekomsten av mänskliga kulturformer.[73] Ytterligare någon anser dock att om nässla inte förekommer tillsammans med någon annan kulturindikator är det mera troligt att den konstaterade nässelförekomsten kan hänföras till ett växtsamhälle med örtrik skogsvegetation.[74] Exemplen skulle kunna mångfaldigas men tjänar just här endast syftet att illustrera de växtekologiska resonemangens natur. Skiljaktigheten i forskarnas bedömningar behöver dock långtifrån bero på skiftande metodiska krav. Det kan ofta bero på att problemställningarna varierar, men också på att man undersökt helt olika typer av lokaler. Eftersom de lokala ekologiska faktorerna varierar från område till område har också den mänskliga verksamhetens påverkan på vegetationsutvecklingen skiftat på motsvarande sätt.[75] Definitionen av vad som är en kulturindikator måste därför skifta från lokal till lokal. Spetsgroblad (eller svartkämpar) och betesmark anses vara nära förbundet med varandra i norra Europa.[76] Växten är dock mycket sällsynt i Finland, trots att betesmark inte saknats.[77] Inom ramen för varje växts miljökrav kan dess samspel med andra väx-

Fig 18. Svartkämpe (plantago lanceoláta). Då växten förekommer i norra Europa anses den mestadels vara en säker kulturindikator. (Teckning: Dagny Tande Lid; ur Lid, Flora, s. 638).

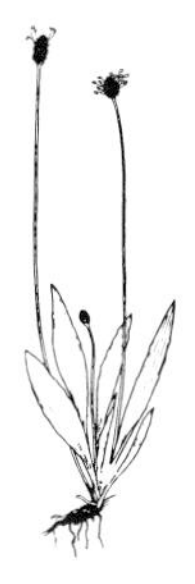

---

[73] T.ex. Ulf Hafsten, Föredrag vid Det Nordiska Ödegårdsprojektets symposium i Joensuu 2—4 september 1971 (Symposierapport i stencil. Joensuu 1971) eller Reynaud & Hjelmroos, Pollen evidence, s. 281 f.

[74] Vuorela, Pollen analysis, s. 40.

[75] Se t.ex. Prentice, s. 150; Zackrisson, Vegetation, s. 9 och Hicks, s. 379 f.

[76] Se t.ex. Björn E. Berglund, Vegetation and human influence in South Scandinavia during Prehistoric time (Oikos Suppl. 12. Copenhagen 1969), s. 16 ff.

[77] Huttunen, s. 38.

ter variera från plats till plats. Eftersom kulturindikatorerna ofta förekommer i små mängder, speciellt i skogstäta områden, är det viktigt att sträva efter tolkningar av den totala pollenförekomsten och de förekommande växternas inbördes förhållanden. Växterna säger mer i samspel än isolerat. Pollen från de växter som ensamma eller i samspel med andra anses vara tecken på förekomst av mänsklig verksamhet sammanförs under samlingsbeteckningen *CIP (culture indicative pollen* = kulturindicerande pollen). Dessa växter kan vara inhemska eller invandrade. Bland de förra återfinns de som är gynnade av människans aktivitet (=*apofyter*). De invandrande växterna kan indelas i *antropokorer* (=genom människan spridda) och *synantropiska växer* (=av människan odlade.) Vi skall här nedan exemplifiera denna indelning utifrån ett nordbottniskt vegetationsmönster.[78]

I. Inhemska växter.
   1) oberoende av människans påverkan: björk, sälg, havtorn, halvgräs, lummer, nypon, slåtterblomma.
   2) apofyter (se ovan): en, ljung, örnbräken, mållor, ängssyra och bergssyra, groblad, malört, fingerört, ranunkel, stensöta, fräken, mjölke, korgblommiga växter, nejlikeväxter samt gräs (dock exkl.bl.vass)

II. Invandrande växter.
   1) antropokorer (se ovan): en del vilda växter samt ogräs. Bovete, ormrot, spetsgroblad (=svartkämpar) och nässla är verkliga antropokorer.
   2) synantropiska växter (se ovan): sädesslagen, lin och möjligtvis humle.

Mot denna bakgrund och genom att iaktta växternas varierande samspel kan mer precisa ekologiska resonemang föras. Härigenom är det också möjligt att rekonstruera gångna tiders växtsamhällen och kulturformer.

Röjningsfas: I spåren av den skogsröjande människan följer ökade mängder pollen från de ljuskrävande växterna.[79] Ljuskrävande buskar, gräs och örter (en, ljung, vildgräs, bergsyra, malört osv) är tydliga kulturindikatorer. Detta beror inte enbart på att antalet växtindivider blir fler utan även på att det ökade ljustillflödet medför att växternas blomning ökar dvs deras pollenproduktion tilltar. Den miljöförändring som röjningen innebär medför att markvegerationen förändras och nu får sådana växter som spetsgroblad, groblad och korgblommiga arter en chans att etablera sig. Men röjningen avspeglar sig naturligtvis också i störningar av skogspollenmängden. Gran, en, björk och al påverkas kraftigt av människans verksamhet. I den fossila pollenfloran kan en tydlig samvariation ses mellan pollen från en och kultur-

---

[78] Här efter Reynaud & Hjelmroos, Pollen evidence, s. 280 ff.

[79] Se bl.a. Fries, Vegetationsutveckling, s. 50; Vuorela, Pollen analysis, s. 31; Roger Engelmark, The comparative vegetational history of inland and coastal sites in Medelpad, N. Sweden during iron age (Early Norrland 11. Motala 1978), s. 46; Reynaud & Hjelmroos, Pollen evidence, s. 280 ff; samt Berglund & Gustavsson, s. 114.

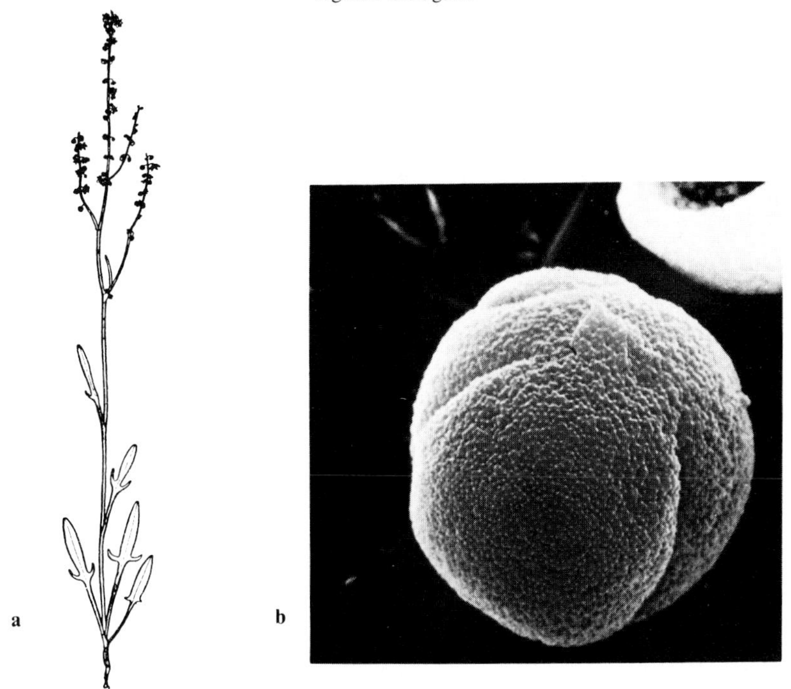

Fig 19. I spåren på den skogsröjande människan följer de ljusälskande växterna som den här avbildade Bergsyran (a). (Teckning: Dagny Tande Lid; ur Lid, Flora, s. 276) I pollenarkivet omvittnas detta av artens apelsinliknande pollen (b). Här i flera tusen gångers förstoring. Foto: Mervi Hjelmroos.

indicerande örtpollen.[80] Innan granens invandring dominerade dock björken. Björken invaderade genast alla övergivna röjningar, varför det är svårt att genom någon nedgång i björkpollenmängden spåra sådana. De björkar som växte i kanten av röjningen fick dessutom kraftigare blomning pga det ökade ljusflöde som röjningen medförde.[81] Innan granens invasion är det därför svårt att av förändringar i skogspollenmängden sluta sig till förekomsten av röjningsverksamhet. Förhållandet blir ett annat efter graninvasionen. Speciellt i Norrland där granen därefter blir allmänt förekommande säger en sjunkande granpollenmängd ganska mycket om upptagna röjningar. Förblir granpollenmängden på låg nivå där den egentligen borde vara hög kan man utgå ifrån att granen hindrats återerövra förlorat land.[82] Detta gäller även om andra indikatorer saknas. Ökande andel NAP av den totala pollen-

---

[80] Vuorela, Pollen analysis, s. 35.

[81] Engelmark, The comparative vegetational history, s. 46. Björkens pionjärfunktion i samband med röjningar och övergivande av åkrar framträder också då björk i förhållande till granen omedelbart ökar i anslutning till sädesslagens uppdykande. Även tallen ökar i samband med röjningar. Förmodligen beror detta på att de förbättrade ljusförhållandena gynnar den ljuskrävande tallen (se Vuorela, Pollen analysis, s. 39).

[82] Engelmark, The comparative vegetational history, s. 46.

mängden är också tydliga tecken på människans närvaro, där även en liten ökning av denna andel kan vara betydelsefull.[83]

Svedjebruk och betesdrift: Svedjebruket förorsakar en minskning av barrskogen medan björk och al visar en tendens att föröka sig. Svedjebrukets kulturform omvittnas på karakteristiskt sätt i den fossila pollenfloran genom minskande mängder granpollen parallellt med ökande mängder pollen från björk och al.[84] Men de upptagna svederna var mestadels små varför detta vittnesbörd lätt dränks i pollenregnet från den omgivande barrskogen. Små förändringar i trädpollenmängden måste dessutom tolkas med försiktighet eftersom sådana förskjutningar även förekommer där människans närvaro bevisligen helt saknas.[85] Ett kringflyttande svedjebruk kan inte heller förväntas efterlämna särskilt tydliga spår i pollenspektrum från en lokal. Svedjebruk kan dock ofta konstateras genom att en mängd växter tyder på att eld förekommit samtidigt som det finns betes- och/eller odlingsindikatorer.

Då indikatorer på betesmark och odlingsytor förekommer på samma nivå är det mest närliggande att sätta dem i samband med en röjningsfas då människan röjt, hamlat och ringbarkat alm, ask och lind till lövfoder och för slåtter. Djuren betar av mark och lövträd. Det är betesgångens, lövtäktens och lövängsbrukets odlingslandskap som formas. Pollenmängden ökar från betesindikatorerna, bergsyra, ängssyra, ranunkel, spetsgroblad, nässla, gräsarter, ängsblommor, en och ljung liksom sporer från örnbräken. Den

Fig 20. Örnbräken — hagens, hyggets och den övergivna svedens ormbunke. (Teckning: Dagny Tande Lid; ur Lid, Flora, s. 37).

senare är hagens, hyggets och den övergivna svedens ormbunke. Eldens förekomst som röjningsinstrument kan i första hand konstateras genom kol i sedimentlagren, men även genom en ökning av ljusälskande och kvävekrävande växter som mjölke, nässla, mållor, bräken m.fl. Skogsbränder inträffade visserligen regelbundet även utan människans närvaro[86] men just den samtidiga förekomsten av betesmarksindikatorer och eldhärjningsindikatorer

---

[83] Hicks, s. 379 f.

[84] Se t.ex. Vuorela, Bebyggelseutvecklingen, s. 35 ff och Berglund & Gustavsson, s. 113 ff.

[85] Se Vuorela, Bebyggelseutvecklingen, s. 35 ff.

[86] Se på s. 99 ff anförd litt. av Zackrisson.

tyder på svedjebruk.[87]

Sädesodling: Det enda säkra tecknet på att sädesodling förekommit är pollen från något av sädesslagen. Omvänt kan man inte utifrån frånvaron av sådana pollen sluta sig till att åkerbruk *inte* förekommit. Ofta förekommer pollen från sädesslagen tillsammans med pollen från andra åkermarksindikatorer som blåklint, trampört åkerpilört, syror, tistlar, mållor, humle/hampa samt korg- och kransblommiga växter överhuvudtaget. Förekommer pollen från något sädesslag ensamt utan någon eller några av dessa andra åkermarksindikatorer är det stor risk att sädesslags-fyndet antingen är långflyktspollen och då härstammar från en avlägset liggande odling eller också är pollen från den vilda strandrågen.[88] Pollen från denna växt liknar intill förväxling (se nedan s. 50 f) pollen från sädesslag.

Den intensifierade jordbruksaktiviteten visar sig inte bara i förekomst och ökning av pollen från sädesslag och tilltagande mängd andra kulturindicerande pollen utan även i att koncentrationen av mineraler i torvsedimenten blir högre.[89] Sädesodlingen förekom först i form av svedjebruk men parallellt därmed växte senare fram stationära odlingar med permanenta fält. Det är ofta svårt att utifrån pollenspektrum avgöra vilken av dessa två odlingsformer som varit för handen.[90] Det förekommer samma slags ogräs på stationära odlingar som på svedjeodlingar. Blåklint som är nära förknippat med rågen förekommer dock t.ex. i väsentligt större koncentrationer då odlingen sker på permanenta fält.

Fig 21. Blåklint — rågens följeslagare. (Teckning: Dagny Tande Lid; ur Lid, Flora, s. 703).

Vi har sålunda diskuterat förutsättningarna för pollenanalysens genomförande och i schematisk form visat hur de pollenanalytiska resultaten byggs upp på en rad olika överväganden av växtekologisk natur. Det är *tolkningen* av den fossila pollenmängden som ligger till grund för rekonstruktionen av gångna tiders växtsamhällen och odlingslandskap. Men innan den pollenana-

---

[87] Svedjebrukets betydelse för skogsbeståndet kan också avläsas i den beskogning som inträffar sedan svedjebruket övergivits som odlingsform, vilket fenomen är tydligt iakttagbart i pollendiagrammen (Prentice, s. 149 f).

[88] För diskussion kring detta se Vuorela, Pollen analysis, s. 32 ff.

[89] Se Vuorela, Pollen analysis, s. 36.

[90] Se Huttunen, s. 30 f.

lytiska undersökningen avancerat till tolkningsstadiet har materialet först samlats in och sedan behandlats under mödosamt laboratoriearbete. Vi skall nu helt kort titta på denna del av forskningsprocessen.

DATAINSAMLING[91]

Den del av forskningsprocessen som utgörs av datainsamling innehåller även inom paleoekologisk forskning en hel rad svårkontrollerbara moment. Men de paleoekologiska forskningsmetoderna genomgår också en mycket snabb metodutveckling. Delvis måste snabbheten i denna sättas i samband med den tekniska utvecklingen av mikroskop och provtagningsinstrument. Men man har också infört ny teknik vid pollenräkning med tätare provintervaller, större pollensummor och noggrannare beräkning av pollenfrekvensen. Detta har lett till sådana nya insikter i vegetationshistorien och människans roll i denna, vilka var omöjliga att nå med hjälp av de mer primitiva analysmetoder man tidigare hade.[92] Mot denna bakgrund skall vi nu följa datainsamlingens olika steg och börjar då med valet av provlokal.

Visserligen kan även en pollenanalytisk undersökning ske i form av en exploiteringsundersökning t.ex. i samband med anläggande av en kraftverksdamm.[93] Då sätts ju de inomvetenskapliga kriterierna för val av lämplig lokal ur spel. Vi skall bortse från denna komplikation och utgå ifrån att valet kan träffas helt utifrån vetenskapliga grunder, samt att man vill eftersträva ideala förhållanden.[94] Vi har tidigare konstaterat att pollen bäst bevaras i våta, syrefattiga miljöer och därför bör pollenprovet tas antingen i myr, torv eller sjösediment.[95] De flesta forskare tycks vara överens om att sjösediment dvs insjögyttjor är att föredra framför torv- och myrsediment eftersom sjösedimenteringen i regel är mindre störd. Sjösedimenten kan allmänt sägas ge en mer regional bild av pollensammansättningen än de övriga sedimenten. De komplexa och varierade myrsedimenten bär dock tydligare vittnesbörd om klimatförändringar. Det kan dock vara problem att få en längre tidsrymd representerad i insjösediment, nämligen i de fall lokalen ligger lågt och nära havet i ett område med stor landhöjning. Sjön kanske då inte isolerats från

---

[91] För datainsamlingens huvudsakliga förlopp se tidigare anförd litteratur i not 40 samt Berglund, Pollen analysis.

[92] Se t.ex. Hicks' Undersökning av Kuusamo-området. Hicks, s. 364 f; jfr. Tolonens översikt i Tolonen, Vittnesbörd.

[93] Undersökningen i Hafsten & Solem är ett exempel härpå.

[94] Problem vid val av provlokal diskuteras förutom i not 91 anförd litteratur mer utförligt i Fries, Pollenanalyser; Fries, Bidrag; Vuorela, Bebyggelseutvecklingen, Engelmark, The vegetational history; samt Berglund, Metodik.

[95] Jfr. Fries, Pollenanalyser, s. 104; Vuorela, Bebyggelseutvecklingen, s. 35 ff och Engelmark, The vegetational history, s. 80.

havet förrän under järnåldern och har dessutom en typ av sediment som inte är lämpligt undersökningsmaterial. Dessutom kommer många av de kulturanknutna pollenslagen från växter som är besläktade med en del havsstrandväxter vilket ju inte underlättar den artbestämning som pollenanalytikern senare måste göra under mikroskoperingen. De flesta kulturindicerande växterna, t.ex. sädesslagen med undantag av rågen, är inte några överdådiga pollenproducenter. Det är därför ofta ganska små mängder av. t.ex. sädesslagspollen som är aktuella vid dessa undersökningar. Det är därför viktigt att provlokalen läggs nära tidigare känd eller förmodad bosättning. Ett exempel kan ges. Vid sin undersökning av några lokaler i södra Finland fann Pertti Huttunen pollen från sädesslag i prov från alla sjöar inom den beskogade delen av sitt uo.[96] Pollenkoncentrationen var därvid c:a 0,3—0,8 % sädesslagspollen av den totala pollensumman. Men redan då man närmade sig platsen för odlingen steg andelen till uppemot 1,2 % i utkanten av det odlade området och på vissa ställen konstaterades så höga värden som 3,5 %. Ett annat exempel på hur lokalt representativa pollenundersökningar kan vara utgör Roger Engelmarks undersökning av tre lokaler (Prästsjön, Stormyren och Joningsmyren) i närheten av Umeå. Trots att dessa lokaler ligger förhållandevis nära varandra bär de beträffande vissa provnivåer sinsemellan olika vittnesbörd om odlingsutvecklingen i området. Det bronsåldersjordbruk som avspeglas i provet från Prästsjön yttrar sig i provet från Joningsmyren som en knappt skönjbar öppningsfas.[97] Man kan onekligen fråga sig hur rekonstruktionen av odlingsutvecklingen sett ut om enbart Joningsmyren varit provlokal.

När det gäller provlokalens utseende finns en enkel tumregel att ju större sjö desto större regional representativitet har pollensammansättningen. Omvänt gäller då att pollenmängden från en liten sjö har mer lokal representativitet. För mer finmaskiga undersökningar av odlingens utveckling är den senare sjö-typen att föredra. För den odlingshistoriskt intresserade pollenanalytikern är alltså den ideala provlokalen en liten sjö som ligger högt över havet och så långt bort från detta som möjligt men ändock i omedelbar närhet av känd eller förmodad tidigare bosättning. Det senare understryker det önskvärda i att en samlad insats inom samma uo görs av så många vetenskapsgrenar som möjligt — paleoekologiska forskningsgrenar, historia, arkeologi, etnologi, namnvetenskap etc.[98] Ett nätverk av lokaler som undersöks på sådant sätt kan ge en samlad översikt av odlingsutvecklingen inom ett område och i ett långt sammanhållet tidsperspektiv.[99] Sedan provlokal valts tas själva jordprovet.

---

[96] Se Huttunen, s. 13 f.

[97] Se Engelmark, The vegetational history, s. 97 ff.

[98] För försök till sådana samlade tvärvetenskapliga insatser inom ett begränsat område se Sundström—Vahtola—Koivunen; The Hoset Project; Gårdlösa.

[99] Ansatser till detta är de planerade forskningsprojekten kring kulturlandskapsutvecklingen i sinsemellan helt olika områden: en nordnorrländsk älvdal, mälardalens slättbygd, sydsveriges skogsbygd. Se vidare härom i KVHAA: Konferenser 4. Stockholm 1980.

a.

Fig 22a. Pollenanalytikerns fältarbete sker stundtals i bistert klimat som här vid provtagning vintertid från isen.

Fig 22b. Olika typer av borrar varmed sedimenten eller torven hämtas upp från bottnen av sjön resp. myren. (ur Moore & Webb, s. 16).

b.

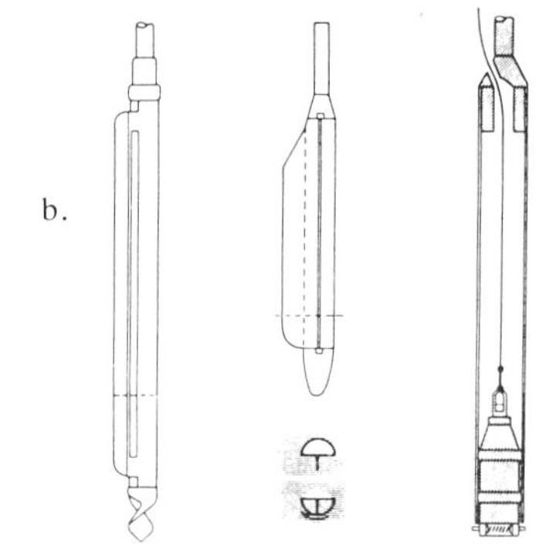

Vid odlingshistoriska undersökningar eftersträvar man därvid givetvis att få olika tidsperioder representerade i provmaterialet. De sedimentlager vari pollenkornen ligger inbäddade utgör ju samtidigt olika tidshorisonter. Nutid motsvaras av det allra översta ytskiktet och ju djupare ned i sedimenten man kommer desto avlägsnare tidsperioder möter man. Prov från olika sedimentnivåer kan tas direkt ur schakt- eller provgropsväggen, då provmaterialet inte utgörs av sjösediment![100] I det senare fallet hämtas sedimenten upp ur sjöns botten i form av en borrpropp som tas genom borrning från isen under vinterhalvåret eller mera sällan från båt under sommaren. Omedelbart efter

[100] Se ytterligare härom nedan s. 85 ff.

provtagningen svepes provet in i någon form av skyddande hölje. Det är nämligen ytterst viktigt att provet inte "smutsas" ned av nutida pollen. Bl.a. därför är också provtagning under vintern att föredra.

Efter provtagningen vidtar laboratoriearbetet. I det fall provet utgörs av en sedimentpropp avfotograferas den bl.a. för att sedimentationens karaktär och hastighet skall kunna fastställas.[101] Ur det stora jordprovet (t.ex. sedimentproppen) tas nu betydligt mindre prover (c:a 1-kubikcentimeter stora) från varje sedimentlager/tidshorisont vars fossila pollenbestånd man önskar spåra. Den täthet med vilken man gör dessa utsnitt varierar och är t.ex. beroende på vilken problemställning man avser belysa med pollenanalysen. Det säger sig självt att ju tätare utsnitt man gör desto fler sedimentlager blir representerade, och desto noggrannare kan odlingshistorien följas men desto större blir också tidsåtgången vid pollenräkningen. Vid vanliga odlingshistoriska undersökningar kan prov från varannan centimeter anses vara en acceptabel provtäthet.[102]

Inför pollenräkningen vilken sker under mikroskopering förbehandlas provet på olika sätt. Bl.a. "tvättas" det rent från lera m.m. så att inga ovidkommande partiklar stör pollenräkningen. För att pollenkornen skall framträda tydligare kanske preparatet infärgas etc. Eftersom pollenkornen är mycket små måste så stora förstoringar som 300X regelbundet användas och för att vid artbestämningen kunna särskilja vissa pollen från varandra måste ibland förstoringar på 1000X eller däröver komma ifråga. Det antal pollen som räknas vid varje sådant litet prov kan variera från ett hundratal upp till flera tusen. Återigen är det problemställning och provlokal samt naturligtvis undersökarens ambitionsnivå som avgör hur många pollen som räknas per prov. Man skiljer härvid mellan trädpollen (AP) och icke-trädpollen (NAP). Vid odlingshistoriska undersökningar eftersträvar man i regel att räkna minst 1000 AP/prov och då uppgår ofta NAP till c:a 300—400/prov.[103] I områden med stark lokal produktion av trädpollen måste högre krav ställas eftersom spår efter människan så lätt försvinner i den enorma trädpollenmängden.[104]

---

101 För diskussion av metodproblem i samband med sedimentationen se nedan s. 88 ff.

102 Se t.ex. Fries, Pollenanalyser, s. 114.

103 Se t.ex. Fries, Pollenanalyser, s. 114 eller Lars-König Königsson, Kvartärgeologi och kulturlandskapsforskning (Uppsalasymposiet 1973. Ekologi, kulturlandskapsutveckling och bebyggelsehistoria. Medd. från Kvartärgeologiska avd. vid Uppsala Universitet. Stencil 14 s. Uppsala 1974) där analystekniken diskuteras utifrån metodiska utgångspunkter. Alla forskare har inte samma krav. Så räknar S. Hicks 500 pollen/prov och minst 200 NAP (Hicks, s. 364 ff) medan Reynaud & Hjelmroos stundtals räknat upp till 8000 pollen med ett genomsnitt av 3000/prov och ett genomsnitt av 300—400 NAP/prov (Reynaud & Hjelmroos, Pollen evidence, s. 279 f).

104 Se Königsson, Kvartärgeologi eller Vuorela, Pollen analysis, s. 33. I sin undersökning från Andøya i Tromsøområdet redovisar Karl-Dag Vorren en från denna mening avvikande uppfattning. Vorren menar att man vid odlingshistoriska undersökningar av lokaler i Nord-norge kan nöja sig med att räkna lägre pollensummor än för lokaler i Syd-skandinavien. Detta eftersom vegetationssammansättningen i Nord-norge är enklare än i Syd-skandinavien. Dessutom innebär det kyligare klimatet att trädslagens pollenproduktion är lägre i norr än i söder. Vorren, s. 181.

Vid undersökningar som gäller Norrland bör därför minst 2000 AP/prov räknas för att man skall få tillräckligt stor bas för bedömning av kulturlandskapet på resp. provnivå.[105]

Pollenräkningen innehåller också ett inom pollenanalysen centralt metodiskt problem — artbestämningen.[106] Tillförlitligheten i artbestämningen är avgörande för hela den paleoekologiska metodens tillförlitlighet och därför här av självklart intresse. Vid artbestämningen har pollenanalytikern hjälp av utarbetade pollennycklar.[107] I dessa framställs olika pollen med sitt vanligaste utseende. Pollenanalytikern kan på så sätt jämföra de pollen som syns i mikroskopet med de som finns i pollennyckeln samt därefter göra artbestämningen. Pollenanalytikerns främsta hjälpmedel är dock trots allt erfarenheten. Men även för en erfaren pollenräknare bereder artbestämningen ofta stora bekymmer. Den stora betesindikatorn *en* har t.ex. ett i mikroskop svåridentifierat pollen.[108] Ofta kan pollenkornen vara delvis förstörda t.ex. i porerna, varigenom artbestämningen blir mycket svår.[109] Det kan också vara lätt att blanda samman två eller flera arter med pollen som till utseendet påminner om varandra. Några exempel skall ges. Det är således nästan omöjligt att skilja hampa-pollen från humle-pollen eller olika typer av björkpollen från varandra.[110] Detta trots att de olika typerna björk ofta har i förhållande till varandra helt olika uppväxt- och livsmiljöer. Det är också svårt att skilja nässle-pollen från i torv förekommande sporer från vissa svampar.[111] Av stor

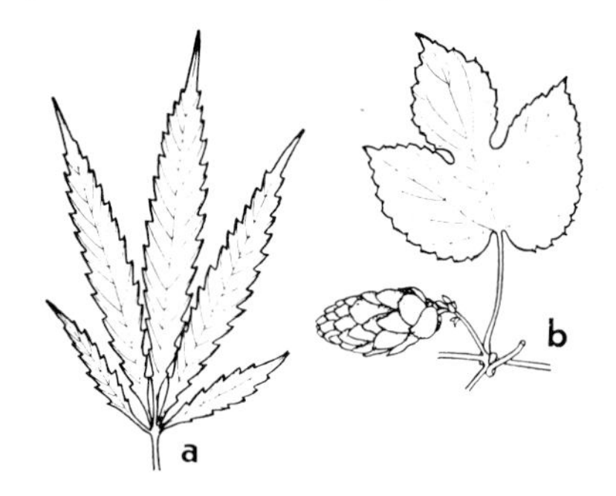

Fig 23. Hampa (a) och humle (b). Som synes är de två växterna mycket lätta att skilja åt. Deras pollen är däremot lika intill förväxling. Det gör det nästan omöjligt för pollenanalytikern att i aktuella fall bestämma vilken av de två växterna som lämnat spår efter sig i pollenarkivet. (Teckning: Dagny Tande Lid; ur Lid, Flora, s. 268).

---

[105] Av de pollenanalyser rörande norra Bottenviksområdet som refereras nedan s. 56 ff synes framförallt de som berör Tornedalen och Österbotten fylla de metodiska kraven i detta avseende (se bifogad översiktstablå s. 75).

[106] För diskussion av detta och andra metodiska problem se Königsson, Kvartärgeologi.

[107] Vid pollenräkningen av proven från Tornedalen har använts framförallt pollennycklar vid Botaniska Muséet, Uleåborg.

[108] Se Vuorela, Pollen analysis, s. 31 f.

[109] Så var förhållandet t.ex. i Reynauds & Hjelmroos' undersökning av ön Hailuoto untanför Uleåborg varigenom det blev svårt att skilja mellan de närbesläktade hassel och pors. Christian Reynaud & Mervi Hjelmroos, Vegetational history and evidence of settlement on Hailuoto, Finland, established by means of pollen analyses and radiocarbon dating (Aquilo. Ser. Botanica Tom 14. Oulu 1976), s. 54.

[110] Se Reynaud & Hjelmroos, Pollen evidence, s. 279; samt Fries, Vegetationsutveckling, s. 25 ff.

[111] Se Reynaud & Hjelmroos, Pollen evidence, s. 279.

betydelse i de sammanhang vi främst intresserar oss för är de bekymmer som pollen från sädesslagen bereder. Sädesslagen är ju närbesläktade med vildgräsen och pollenkornen från dessa olika växter liknar varandra mycket. Pollenkornen från sädesslagen kan skiljas från de flesta olika gräspollen genom att de förra är betydligt större än de senare. Men pollen från de vilda vildvete och strandråg är även de förhållandevis stora och sammanblandas därför lätt med sädesslagspollen framförallt havre. Det senare sädesslaget kan också lätt sammanblandas med gräs. Det kan alltså hända vid pollenräkning att några pollen tillhörande de vildväxande gräsen räknas som sädesslagspollen. Men även det omvända kan inträffa och inträffar förmodligen oftare, eftersom pollenräknaren vanligtvis är ytterst noggrann innan ett pollen bestäms vara från ett sädesslag.[112] Det kan också vara svårt att skilja sädesslagen åt sinsemellan. Korn och råg liknar varandra liksom havre och vete medan det däremot inte är så bekymmersamt att skilja dessa två grupper från varandra. Detta hindrar inte att några forskare har lyckats särskilja korn, vete, havre och råg.[113] Med hjälp av de nya faskontrast- och svepelektronmikroskopen har artbestämningen väsentligt förfinats. Men onekligen innebär artbestämningen fortfarande ett av de mest svårkontrollerbara tolkningsmomenten vid pollenanalysen. Vi utgår dock här ifrån att denna felkälla kan kontrolleras och fortsätter nu med att diskutera pollendiagrammet.

Vid pollenräkningen registreras för varje litet prov hur många pollen som förekommer från respektive växt. Därefter uträknas den procentuella fördelningen mellan växterna och därigenom erhålles för varje sådan provnivå ett pollenspektrum. De sålunda framräknade värdena kan redovisas i form av ett stapeldiagram där varje pollenspektrum redovisas för sig eller också kan de analyserade nivåernas pollenspektra sammanbindas till kurvor vilket ofta sker genom ett silhuettdiagram. Vid diagramkonstruktionen redovisas mestadels trädpollen för sig. De olika trädpollenas andel anges då i procent av summa trädpollen (Σ AP). På samma sätt förfars med pollen från andra växter vilka då anges med procentsats av summa icke-trädpollen (Σ NAP). Det finns ytterligare ett otal diagram-varianter varigenom pollenanalysens resultat kan redovisas i grafisk form.

Diagramkonstruktionen är avhängig undersökningens syfte dvs vad man vill visa med diagrammet. En av pollenanalysens pionjärer, dansken Iversen

---

[112] I pollendiagrammen finns också en klar samvariation mellan sädesslagskurvan och kurvan för övriga CIP. Christian Reynaud & Kasimierz Tobolski, Etude paleobotanique d'une basse terasse du fleuve Kemi (Tervola, Finlande) basée sur la palynologie et l'identification des restes macroscopiques (Aquilo. Ser. Botanica Tom 13. Oulu 1974), s. 48 f se spec. fig. 6 s. 49.

[113] Pertti Huttunen & Mirjami Tolonen, Pollen-analytical studies of prehistoric agriculture in Northern Ångermanland (Early Norrland 1. Uppsala 1972), s. 11 f; samt Vuorela, Pollen analysis. I Reynaud & Hjelmroos stora undersökning av vegetationsutvecklingen i Österbotten har man bland sädesslagen endast med säkerhet kunnat särskilja råg. Reynaud & Hjelmroos, Pollen evidence, s. 279.

förespråkade ett diagram där samtliga växters representativitet angavs i procent av den totala pollensumman. Därigenom menade han åskådliggjordes bäst landnamsfasen då träden minskar med samtidig ökning av de öppna markernas växter och andra CIP som t.ex. sädesslagen, vilka debuterar vid denna tid. Beträffande områden som var mindre tättbefolkade är andra diagramkonstruktioner mer tillämpliga. För att åskådliggöra kulturpåverkan i dessa områden väljer man i stället att vid redovisningen markera närvaron och den relativa betydelsen av varje pollentyp inom NAP-floran. Men därmed måste också diagrammen konstrueras annorlunda. Vad *vi* vill visa i denna framställning är pollenanalysens vittnesbörd om människans tidiga odlingsinsats i området kring Norra Bottnen. Pollenanalysens vittnesbörd om denna har grafiskt redovisats bl.a. i det influensdiagram som finns återgivet på s 72, där dess innehåll diskuteras.

Influensdiagrammets syfte är att spegla den mänskliga verksamhetens spår i vegetationens sammansättning.[114] Därför tas endast hänsyn till pollen från de kulturindicerande växterna (CIP) vilkas procentuella andel av den totala pollensumman (AP + NAP) tecknas i ett kombinerat kurv/spegeldiagram. Härvid markeras dessutom ofta på något sätt sädesslagens representation.

Den relativa beräkningen av pollenmängden har dock vissa uppenbara nackdelar.[115] Ökningen för en växt måste med nödvändighet avspeglas som tillbakagång för en annan. Även om t.ex. tall i verkligheten får ökad mängd pollen på en nivå, men granen i förhållande härtill ökar ännu mer, kommer förhållandet mellan dem i pollendiagrammet att avteckna sig som en ökad procentandel för granen men som en tillbakagång för tallen. Kontroller mellan de absoluta och relativa värdena har dock visat att de senare i de allra flesta fall ger en god bild av vilka förskjutningar som i verkligheten ägt rum. Men allt oftare redovisas vid sidan av den relativa pollenfrekvensen också den absoluta. Även detta sker ofta i grafisk form.

Det relativa pollendiagrammet ger vidare endast besked om pollenregnets sammansättning vid olika tidpunkter.

Det relativa pollendiagrammet ger heller inte någon riktig bild av vegetationens utbredning utan endast av pollenregnets sammansättning. På så sätt avspeglar t.ex. ytorna i ett siluettdiagram inte den areal som resp. växt upp-

---

[114] Alltsedan Königsson införde influensdiagrammet 1968 och Berglund senare vidareutvecklade det har det lättare kunnat konstateras att i så gott som alla hittills undersökta områden finns en likartad rytmik vad beträffar expansion och stagnation.

[115] Problemet har bl.a. diskuteras av Ulf Segerström i samband med hans undersökning av Kroktjärn i närheten av Edefors, Bodens kommun. Segerström redovisar hur absolut mätning av den årliga pollendepositionen per kubikcentimeter sjöbotten ger en bild som väsentligt avviker från den relativa mätningen. Se spec. det jämförande diagrammet Ulf Segerström, Pollendepositionsanalys i varviga sediment — pollenanalysens nya dimension (Skrifter från Luleälvsprojektet nr 1: Luleälvssymposiet 1—3 juni 1981. Stencil. Umeå 1981), s. 134. Segerström påpekar dock att det rör sig om ett extremt exempel.

tagit i landskapet utan endast hur pass väl växten är representerad i pollenregnets sammansättning. Odlingens omfattning och dess förändring över tid kan avläsas utefter den relativa tidsskalan i varje diagram. Diagram från olika lokaler kan också jämföras sinsemellan men bara beträffande odlingens intensitet, inte vad beträffar dess areella omfattning. Pollenanalysen i sig ger således endast en relativ kronologi för varje undersökningsprofil. Men stora och för vegetationens sammansättning betydelsefulla förändringar t.ex. ett klimatskifte berör ofta hela regioner och då på ett mycket karakteristiskt sätt i alla pollendiagram från regionen. Den absoluta tidpunkten för denna *zon* måste i stort sett vara densamma i de olika diagrammen, varigenom de vid just denna punkt tidsmässigt kan kopplas till varandra. På så sätt erhålles en *lednivå* utifrån vilken diagrammens övriga delar kan bedömas.

Pollendiagrammens informationsmängd ökar väsentligt om den relativa tidsskalan i stället vore absolut. Tidigt har därför försök gjorts att få till stånd en absolut tidsbestämning av i varje fall dessa lednivåer.[116] Förut var den enda möjligheten härtill att arkeologiskt datera i myrarnas lagerföljd påträffade *artefakter* (= av människan tillverkade föremål). Sedermera har introducerandet av kol 14-metoden (se ovan s. 10 ff) och senare datering med hjälp av årsvarviga sjösediment (se s. 81 ff) medfört helt andra möjligheter att hänga upp pollendiagrammen i absoluta dateringar. En viktig lednivå för Norrlands del är granpollengränsen dvs granens invasion i området.[117] I en av de första absoluta dateringarna av ett pollendiagram har Erik Fromm med hjälp av årsvarviga leror daterat graninvasionen i Ångermanlands kustområde till c:a 1.000 f.kr.[118] Königsson har daterat graninvasionen i norra Västerbotten till c:a 1.300 f kr.[119] Ytterligare dateringar finns och de rör sig alla kring 1.000 f kr.[120] Fortsatt utveckling av den dateringsmetod som grundar sig på analys av årsvarviga sjösediment ställer i sikte att pollendiagram kan dateras absolut till alla sina delar till och med på årstiden när. Detta ger också en god bild av de utvecklingsmöjligheter pollenanalysen har. Men metoden vidareutvecklas även på annat sätt. Med hjälp av numeriska metoder jämför man fossila och moderna pollenspektra med varandra och anser sig därigenom med större tillförlitlighet kunna göra kvantitativa rekonstruktioner av vegetationen.[121]

---

[116] Jfr. Fries, Vegetationsutveckling, s. 26 ff; Fries, Pollenanalyser, s. 118; Fries, Bidrag, s. 10; samt Königsson, Kvartärgeologi.

[117] Se under not 116 anf. litt. samt samtliga de refererade undersökningarna.

[118] Se Erik Fromm, Geochronologisch datierte Pollendiagramme und Diatoméeanalysen aus Ångermanland (Geologiska Föreningens i Stockholm Förhandlingar Bd 60. 1938), s. 365 ff.

[119] Se Lars-König Königsson, Traces of neolithic human influence upon the landscape development at de Bjurselet Settlement, Västerbotten, Northern Sweden (Skytteanska samfundets handlingar nr 7. Umeå 1970), s. 22 f.

[120] Så har t.ex. I. Renberg genom en kombination av kol 14-datering och geokronologi tidsbestämt granens invandring i Umeåområdet till c:a 1250 f.Kr. Renberg, Investigations, s. 142.

[121] Se Prentice, s. 150 ff; jfr. Fries, Pollenanalyser, s. 113 f.

I denna entusiasm över metodens möjligheter skall vi dock avslutningsvis erinra om dess begränsningar.

Även den paleoekologiska forskningsprocessen innehåller många av undersökaren starkt beroende inslag.[122] I ovanstående framställning har vi vid flera tillfällen försökt lyfta fram de *tolkningsmoment* som ingår i pollenanalysen. Så är t.ex. artbestämningen beroende av pollenräknarens noggrannhet och erfarenhet. Bedömningen av pollenmängdens vittnesbörd är beroende av inte bara kunskap om pollenspridningen utan även av en uppfattning om betydelsen av växternas konstaterade samspel. Självfallet måste det vara den inomvetenskapliga prövningen som avgör de pollenanalytiska resultatens hållbarhet. Men de metodiska konsekvenser som ovanstående konstateranden får, måste beaktas av envar som med hjälp av pollenanalytiska resultat bygger upp sina egna resultat. De flesta pollendiagram ger med ganska stor säkerhet information om variationer i förhållandet mellan skog och öppen mark samt om odlingslandskapets utveckling i stora drag. Just i detta avseende bygger vi i vår undersökning delvis på pollenanalytiska resultat.

Sedan vi nu så länge fastnat i en diskussion av pollenanalysens princip, metod och redovisningsform är det hög tid att vi tittar på några påtagliga resultat, som vunnits med hjälp av metodens tillämpning. Som tidigare sagts skall detta ske genom några exempel med anknytning till vår egen frågeställning, vilken inledningsvis skisserades (se s. 5 ff). Detta innebär att de anförda exemplen rumsligt kommer att anknyta till området kring norra Bottenviken.[123] I bebyggelsehistoriska sammanhang, speciellt för de tidsperioder som här är aktuella, är det naturligt att betrakta hela området kring Norra Bottnen som en helhet. Jag kommer således inte bara att referera och diskutera resultat som berör den västra sidan av Bottenviksområdet utan även sådana som berör den östra sidan. Undersökningarna har sorterats efter de mer eller mindre begränsade geografiska områden vars vegetationshistoria de avser att belysa. De olika områdena har numrerats varvid ibland flera undersökningar fått samma nr eftersom de behandlar samma geografiska område. De aktuella områdenas geografiska läge framgår av bifogad karta (se fig 24) där siffrorna svarar mot samma siffror i den följande resultatkatalogen. Av utrymmesskäl är det inte möjligt att referera resultaten från varje enskilt provställe. Ofta har ju flera prover tagits i omedelbar närhet av varandra. Men vegetationsutvecklingen kan trots detta ofta i enskilda detaljer vara olika. I de fall de olika proven gjorts inom samma undersökningsram, och tolkats utifrån enhetliga normer har resultaten från dessa analyser sammanförts till en enda översiktlig beskrivning av vegetationsutvecklingen för det område som proven samlat avser belysa. Det har inte i något fall inneburit att

---

[122] Jfr. diskussionen i Königsson, Kvartärgeologi.

[123] Så gott som alla paleoekologiska resultat rörande det här aktuella området har framkommit fr. o. m. början av 1970-talet.

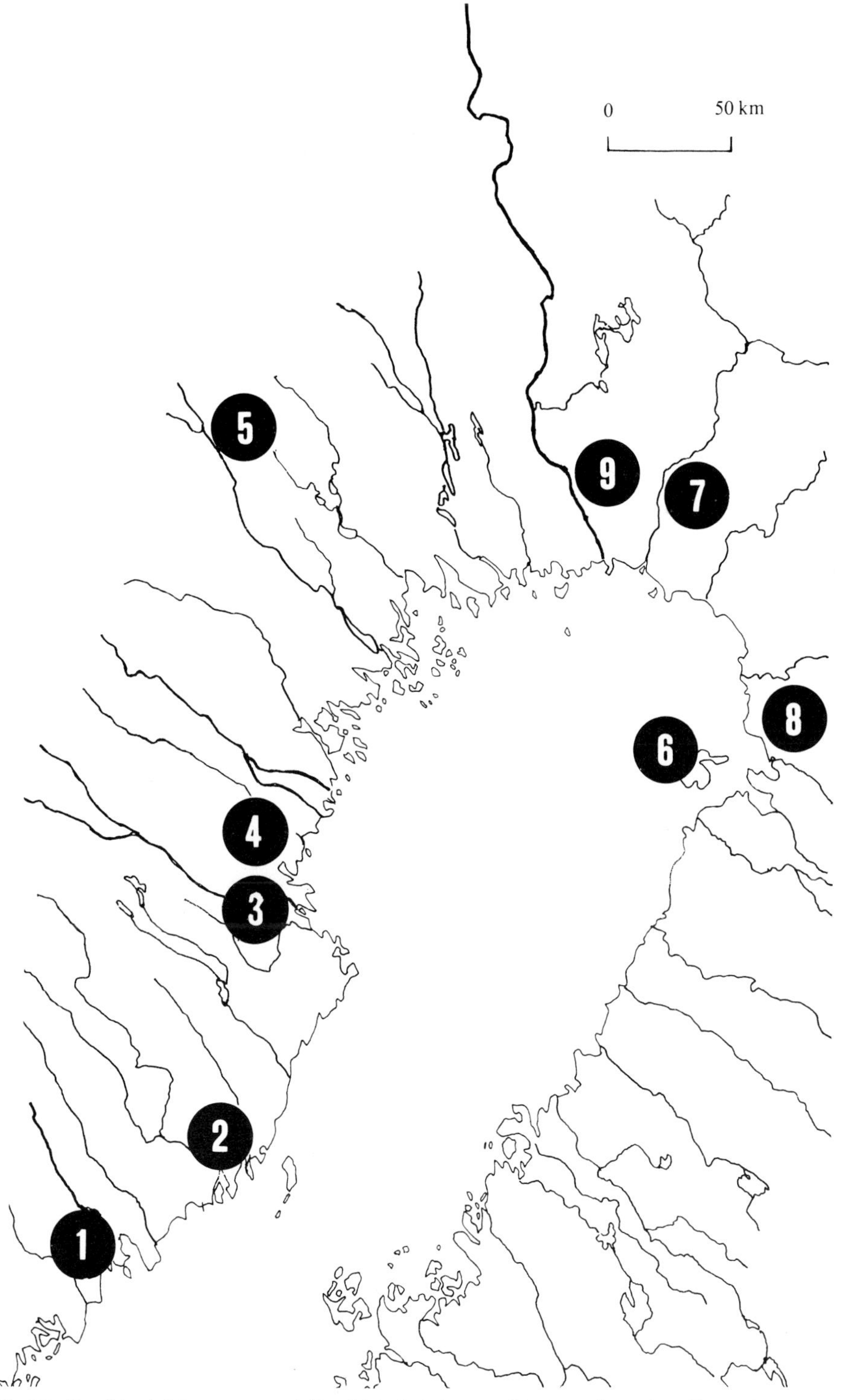

Fig 24. Områden/platser vars vegetationshistoria belyses av i texten refererade pollenanalyser.

referatet blivit missvisande men däremot att det inte blivit lika detaljerat som resultaten i och för sig tillåter. Detta har naturligtvis varit ett särskilt problem när det gäller den stora undersökningen av den regionala vegetationsutvecklingen i Österbotten. Men den del av detta område och denna undersökning som intresserar oss speciellt, Tornedalen, har ju också särredovisats.

De aktuella resultaten från varje enskilt område refereras schablonartat i katalogform för att läsaren så lätt som möjligt skall kunna bilda sig en uppfattning om resp undersökning. För att underlätta en jämförande diskussion avslutas resultatredovisningen med att vissa moment i undersökningarna sammanförts till en översiktstablå, vilken i korthet kommenteras.

Vi skall börja resultatredovisningen med det område som ligger längst i söder och sedan fortsätta uppefter den västra bottenvikskusten. Därefter gör vi ett hopp över Kvarken till Österbotten för att av speciella skäl avsluta i Tornedalen.

Som framgår av resultatredovisningen har många av de pollenanalytiska undersökningarna skett i samarbete med företrädare för andra discipliner, företrädesvis arkeologer. Tornedalsundersökningen har sålunda planerats och utförts under direkt samverkan med de arkeologer, namnvetare och historiker som deltar i det s k Tornedalsprojektet.[124] Det innebär att den överordnade problemställningen utformades gemensamt varför den delvis sammanfaller med den som gäller för min egen undersökning.

RESULTATREDOVISNING

1. Norra Ångermanland[125]

Indikation: Undersökningslokalerna valdes så att de skulle ligga i närheten av arkeologiskt kända förhistoriska boplatser och samtidigt erbjuda så ideala undersökningsförhållanden som möjligt.
Problem: Att med hjälp av pollenanalys åskådliggöra det norrländska landskapets utveckling med speciell tonvikt på de vegetationsförändringar som förorsakats av människans verksamhet.

Resultat:

Neolitikum: Det finns i pollendiagrammen från norra Ångermanland inte några spår efter den i södra Skandinavien och Norra Finland observerade landnamsfasen under tidig yngre stenålder. De första spåren efter odling dyker upp vid en zon som motsvarar 2.500—2000 f kr. och utgörs av pollen

---

[124] I detta deltar såväl finska som svenska forskare varibland författaren.
[125] Huttunen & Tolonen, s. 9—34.

från sådana apofyter som enebuskar, mållor och korgblommiga växter samt antropokorerna nässla, humle/hampa och inte minst sädesslagen vete och korn. De är alla tillsammans tecken på att jordbruk förekommit. Dessa pollen är ju också samtida med båtyxekulturen, vilken med stor sannolikhet varit en stationär jordbrukskultur. Arkeologiskt kan beläggas att flera boplatser i undersökningsområdet etableras vid denna tid. Pollen från trampört, syror och mållor tyder på en öppen strandvegetation. Ökade pollenvärden för vildgräs och ljung visar att de öppna ängsmarkerna utvidgats. De vegetationsförändringar som förorsakas av människan är dock små och det mänskliga inflytandet är endast av lokal betydelse. Det går inte utifrån pollendiagrammen att bestämma vilken av de kända boplatserna som svarat för den förekommande jordbruksaktiviteten. Några av provlokalerna låg dock vid denna tid fortfarande under vatten.

Bronsålder och järnålder: En lätt nedgång av det mänskliga inflytandet tycks ha ägt rum mot slutet av bronsåldern. Inga tecken finns på att människan påverkat kulturlandskapet under denna tid. Spec. nivåerna kring 600 f kr är mycket fattiga på kulturindikatorer (CIP). Ungefär vid den nivå som motsvarar 200—300 e kr blir landskapet alldeles tydligt mer öppet och människans inflytande ökar. I de flesta diagram visas betandets och kreatursskötselns effekter i en ökande mängd pollen från gräs, ljung, spetsgroblad, vicker, enebuskar, nässla och syror. Mot slutet av romersk järnålder c:a 450 e kr visar pollenkurvorna på en expansionsfas med en anmärkningsvärd stegring av jordbrukets inflytande på vegetationen.

Vikingatid (el. 800—1100 e kr): En verkligt markerad röjningsfas kan beläggas i diagrammen från alla kustlokaler samt i diagrammet från en lokal i inlandet. Nu påbörjas en stark ökning av det mänskliga inflytandet på kulturlandskapet. Hela kustområdet tycks vara ianspråkstaget för odling. Kontinuerligt flöde pollen från apofyter samt stigande pollenmängder från antropokorer. Blåklint och sädesslag (inkl råg) har funnits och pollenmängderna från en sammansatt flora av apofyter och antropokorer tyder på ett intensivt jordutnyttjande även under medeltiden. Linberedning har varit ett viktigt inslag i näringslivet att döma av mängden linpollen som påträffats. De ökande pollenmängderna från lejongap och dunört (mjölke) tyder på att röjningen gjorts med hjälp av svedning. Säd odlas fr o m nu kontinuerligt.

2. Umeå-området

a) Hamptjärn[126]

Indikation: Undersökningslokalen valdes för sin artrika flora samt pga närheten till arkeologiskt känd boplats.
Problem: Att spåra det mänskliga inflytandet på den fossila pollenfloran och med hjälp av pollenstratigrafin få en relativ datering av den närmsta omgivningens utveckling.

Resultat:

Fr o m 900—800 f kr: Fynd av pollen från vete, groblad, bergsyra och möjligtvis malört ger belägg för en tidig kulturfas i omedelbar närhet av provlokalen.

Fr o m 750 e kr: Kontinuerlig och ständigt ökande förekomst av pollen från sädesslag (spec råg, men även korn) tyder på ett alltmer utvidgat jordbruk. Andra i detta sammanhang betydelsefulla växter är humle/hampa, bergsyra samt olika mållor. Denna tydliga jordbruksfas uppvisar nästan samma pollenflora som återfinns belagd i undersökningarna från norra Ångermanland resp Bjurselet.

Kommentar: Observera författarens begränsade syfte med sin undersökning. Det är förklaringen till att så förhållandevis få pollen/nivå räknats (300 AP) samt att kulturlandskapsutvecklingen endast analyserats till sina absoluta huvuddrag.

b) Kåddis, Baggböle och Västerhiske[127]

Indikation: Undersökningslokalerna valdes för att få Umeå-området så väl representerat som möjligt. Samtidigt var det önskvärt att resp provlokal låg nära arkeologiskt känd förhistorisk boplats. Helst skulle boplatsområdena även ha kontinuitet in i historisk tid och så tidigt som möjligt vara omnämnt i det skriftliga materialet.
Problem: Att ge en bred beskrivning av kulturlandskapets framväxt i Umeåområdet med särskilt tonvikt på det mänskliga inflytandet på vegetationsförändringar.

---

[126] Kimmo Tolonen, On the palaeo-ecology of the Hamptjärn Basin. I. Pollenstratigraphy (Early Norrland 1. Uppsala 1972), s. 42—52.
[127] Engelmark, The vegetational history, s. 75—112.

Resultat:

Bronsålder: Mot mitten av bronsåldern förändrades miljön. Klimatet försämras. Den ljusa, skira lövskogen med björkdominans förändras på mycket kort tid till mörk och tät granskog. Detta innebar sämre förhållanden för alla betesdjur- vilda som tama. Dessa vegetationsförändringar måste ha varit påtagliga för bronsåldersmänniskan. Mot bronsålderns slut c:a 700 f kr dyker inte desto mindre de första tecknen på jordbruk upp i diagrammen. Pollen efter sädesslag och ogräs tyder på fast bronsåldersbosättning i området. Granens markerade nedgång i pollenmängden *kan* tyda på att människan medvetet favoriserat björk och andra lövträd på granens bekostnad. På denna nivå förekommer även pollen från växter som förknippas med öppna fält och bosättningar: malört, mållor, groblad etc. Det finns också här pollen från betesindikatorerna en, gräs, spetsgroblad, ranunkel, syror etc.

Järnålder: Kring nivån 400 f kr upphör plötsligt alla tecken på åkerbruk och boskapsskötsel. Skogen invaderar med besked de tidigare röjda markerna. Under nästan 1000 år kommer granskogen åter att stå mörk och tät och det saknas praktiskt taget helt och hållet pollen från ljusälskande växter. Förmodad orsak är den klimatförsämring som på basis av andra paleoekologiska undersökningar (se s. 32 ff) antagits ha ägt rum i så gott som hela Norden. Denna s k ''fimbulvinter'' har inneburit högre årsnederbörd och lägre sommartemperatur, vilket förmodligen slagit kraftigt i områden där många växter redan under bättre klimatförhållanden levde på gränsen för sin anpassningsförmåga.

Vendeltid/Vikingatid: Fr o m 500 e kr tycks jordbruket ha återupptagits. Mängden granpollen sjunker kraftigt och björkpollenmängden visar motsvarande stegring samtidigt som en ökning sker av pollenmängden från ljusälskare som enebuskar och olika gräsarter. Allt tyder på storskaliga röjningar. Detta är den egentliga röjningsfasen med ett slutgiltigt öppnande av ett kulturlandskap. Detta var förmodligen nödvändigt för att skaffa betesmarker. Härefter är människans inflytande på landskapet konstant. På denna nivå dyker också sädespollen (korn och råg) upp tillsammans med andra antropokorer. Sädesodlingen kan inte ha varit lika viktig som boskapsskötseln. Höga värden för gräs och en tyder på intensiv betning. Mot slutet av perioden har humle/hampa förekommit.

1100—1300 e kr: En stark expansion av i första hand betesmarkerna men även den odlade jorden. Större delen av Umeå-området måste ha använts till betesmark. Korn, havre och råg odlades, även om det senare sädesslaget måste ha varit av ringa betydelse.

Fr o m 1300-talet: En tydlig nedgång i jordbruksaktiviteten avspeglas i pollendiagrammen. Mot slutet av 1400-talet och början av 1500-talet kan en stagnation iakttagas. I alla tre diagram kan ses en markerad ökning av pollenmängden från tall, vilket tyder på att torrare förhållanden inträtt. Kanske har områdets sandiga jordar överexploiterats och utsugits? Härigenom tvingades man kanske söka betesmark till djuren långt bort från byn.

På basis av Engelmarks ovan refererade resultat och en egen dendroekologisk undersökning har Olle Zackrisson genomfört en bred växtekologisk analys av kulturlandskapsutvecklingen i Umeå-området. De resultat som Zackrisson nått i sina dendroekologiska undersökningar behandlas på annat ställe i denna framställning (se s. 99 ff).

c) *Prästsjön*[128]

Indikation: Kompletterar Engelmarks ovan ref. undersökning. Prästsjön är också en av de lokaler Engelmark undersökt.
Problem: Att genom paleolimnologisk analys undersöka sjöns utveckling.
Resultat: Sedimentens ökade innehåll av minerogent material i den nivå som motsvarar 500—800 e kr kan tyda på att jordbruket på expanderat så pass mycket att jorderosionen får en markant ökning (här endast refererat de resultat som i detta sammanhang är av direkt intresse).

3. Skellefteå (Lundfors)[129]

Indikation: Undersökningslokalen valdes framförallt utifrån arkeologiska kriterier. Samarbete mellan författarna, den ene arkeolog och den andre kvartärbotaniker, innebar att en sedan tidigare arkeologiskt känd boplats nu kunde undersökas i sitt miljösammanhang.
Problem: Att fastställa vegetationens utseende under stenåldern (mesolitikum) och den resursram inom vilken bosättningen måste formas.
Resultat: På grundval av pollen- och makrofossilanalys kan vegetationen i Lundforsdalen vid denna tid karakteriseras på följande sätt: Al-björk-skogar och al-kärr dominerar i de lägre belägna och fuktigare områdena och längs stränderna. Andra allmänt förekommande växter var hägg, sälg, hallon, mjödört, topplösa, kärrviol och ormbunkar. På kärren i närheten av stranden fanns spridda bestånd av ask. De torrare skogstyperna på dalsluttningarna dominerades av björk och rönn. Örtvegetationen bestod här av högre örter som mjödört, smörblomma, fläder och mer torrälskande ormbunkar. Här och där även hassel och alm. Bergsluttningarna dominerades av tallskog och en och annan mosse.

Kusttrakterna hade också flera växter vilka nu har en betydligt sydligare utbredning. Så går t.ex. nordgränsen för hassel och ask nu betydligt längre söderut vilket visar att klimatet tidigare vid denna tid var betydligt varmare. De klimatvariationer som författarna konstaterar har ägt rum skall behandlas i ett annat sammanhang.

Undersökningen omspänner inte heller den tid då CIP i större mängder kan

---

128 Renberg, Investigations, s. 113—160.
129 Engelmark citerad Broadbent, s. 158—173.

förväntas dyka upp i pollendiagrammen, varför vi här skall stanna vid ovanstående referat av undersökningens resultat.

4. Bjurselet[130]

Indikation: Undersökningslokalen valdes utifrån arkeologiska kriterier. Platsen sedan gammalt av stort arkeologiskt intresse.
Problem: Att med hjälp av pollenanalys belysa vegetationsutvecklingen och på så sätt komplettera den information som det arkeologiska fyndmaterialet ger om neolitisk bosättning.

Resultat:

c:a 1500 f kr: Vid den nivå som motsvarar övergången från stenålder till bronsålder finns först isolerade fynd av pollen från korn. Sedan blir kornkurvan kontinuerlig. Människans inflytande på landskapet kan konstateras även om det inte var särskilt starkt. Även makrofossilförekomsten styrker att människan påverkat landskapet vid denna tid. Bosättningen eller odlingen behöver inte ha ägt rum just på platsen för provet men dock i dess omedelbara närhet.

0—500 e kr: Större mänskligt inflytande på landskapet vilket öppnas allt mer genom röjningar. Riklig förekomst av rågpollen.[131]
Kommentar: Författarens begränsade syfte med sin undersökning gör att kulturlandskapsutvecklingen endast analyserats i sina huvuddrag. Undersökningsprofilerna är även svåra att analysera.

5. Edefors[132]

Indikation: Undersökningslokalen, Kroktjärnen, valdes pga sin årsvarviga sediment. I anslutning till planeringsarbetet inom ett större tvärvetenskapligt projekt var det önskvärt med en provstudie inom ett ganska begränsat område som bestämts utifrån arkeologiska och skrifthistoriska kriterier.
Problem: Att jämföra två olika pollenanalytiska metoder — å ena sidan den ''traditionella'' metoden att räkna fram den relativa fördelningen av de olika växternas pollen vid varje nivå samt å andra sidan den nya metoden att mäta den absoluta mängden pollen från resp. växt i varje sedimentlager.

---

130 Königsson, Traces, s. 13—30.

131 Denna nivå har inte C^{14}-daterats. Den absoluta tidsskalan har framräknats på basis av 1 st C^{14}-datering för lägre liggande nivå samt beräknad sedimentationshastighet. Detta förfarande har kritiserats av bl. a. Engelmark. Engelmark, The vegetational history, s. 100.

132 Segerström, s. 131—135; Se även Olle Zackrisson, Naturresursutnyttjande i relation till skogsekosystemens tidigare dynamik och struktur i Lule älvdal (Skrifter från Luleälvsprojecktet nr 1; Luleälvssymposiet 1—3 juni 1981. Stencil. Umeå 1981), s. 121—130.

Syftet var alltså i första hand att föra en metodisk diskussion kring dessa två olika förfaringssätt. Men även det första mänskliga inflytandet på sjöns närmsta omgivning eftersöktes.

Resultat: Sedimentprovet täckte tidsperioden 690 f kr-1900 e kr varvid tonvikten lades vid analys av trädbeståndets förändringar. I detta fall gav de två metoderna helt olika resultat mycket beroende på speciella förhållanden beträffande det sjön omgivande skogsbeståndets utveckling. I de flesta fall ger de relativa värdena en god bild av vad som hänt med vegetationen. Men mätning av det absoluta pollennedfallet ger en bättre bild av de olika växternas verkliga representation i vegetationen. Det tidigaste tecknet på att människan haft odlingar i närheten av sjön återfinns i form av pollen från sädesslag i de sedimentlager som bildats under åren 1440—1470 e kr. I efterföljande nivåer fanns pollen från bl a sädesslag och trampört (= CIP). Odlingen blev ej kontinuerlig utan upphörde snart.

Kommentar: Undersökningens karaktär av provundersökning gör att analysresultatet endast redovisats mycket fragmentariskt. Det förtjänar påpekas att undersökningslokalen ligger utanför den närmsta byns gamla odlingsmarker samt inte mindre än 20 km norr om älvdalens nordligaste skattlagda by på 1500-talet. Det är således inte heller anmärkningsvärt att kulturindikatorer påträffas först i sådana sedimentlager som motsvarar förhållandevis sen tid.

I anslutning till ovannämnda projekt har Olle Zackrisson genomfört dendroekologiska studier av levande och död ved av tall. Den beståndskronologi (se vidare härom s. 99 ff) han därvid upprättar för området har han lyckats föra ned till vikingatidens slut (c:a 1050 e kr). Syftet med den dendroekologiska undersökning som skissas är att försöka fastställa skogens resursvärde vid olika tidpunkter samt mäta människans sätt att utnyttja denna resurs.

6. Hailuoto (ö strax utanför Uleåborg)[133]

Indikation: Undersökningslokalerna valdes så att de skulle ligga så nära dagens odling som möjligt och så att profilen skulle täcka tillräckligt lång tid samt bestå av sediment med organiskt innehåll, varigenom det skulle vara möjligt tillämpa kol 14-datering. Det skulle även vara möjligt att spåra förbindelsen mellan pollen från den naturliga floran i de kustanknutna små växtsamhällena (= biotoper) och pollen från de av människan beroende arter som förknippas med jordbruksaktivitet.

Problem:: Att belysa den mänskliga aktivitetens påverkan på omgivningen och då spec. den ''naturliga'' vegetationen. Härigenom hoppades man kunna

---

[133] Reynaud & Hjelmroos, History, s. 46—60.

spåra stora och för vegetationens sammansättning betydelsefulla kulturförändringar som t ex ”den neolitiska revolutionen” etc dvs då människan övergår från en jakt-, fiske- och samlarkultur till en ekonomi baserad på boskapsskötsel, sädesodling och permanenta boplatser. Det var samtidigt önskvärt att vid analysen få kontakt mellan det paleoekologiska källmaterialets vittnesbörd och det skriftliga materialets. Det senare materialet finns bevarat först fr o m 1548. Den tvärvetenskapliga målsättningen innebar samarbete med arkeologer och historiker. Härvid hade undersökningen också ett visst metodiskt intresse genom jämförelse mellan de resultat som nåddes inom resp disciplin.

Resultat:

Fr o m 1100-talet: Den mänskliga aktivitetens inflytande på ön är skönjbart fr o m den nivå som motsvarar mitten av 1100-talet. Förekomsten av sporer resp. pollen efter örnbräken och mjölke visar att skogen röjts med hjälp av eld. Råg är det dominerande sädesslaget och det råder inget som helst tvivel om att råg odlats på ön på ett mycket tidigt stadium. Härpå tyder också närvaron av blåklint, vilken växt anses vara nära förknippad med råg i norra och nordvästra Europa.[134] Blåklint visar en tydlig ökning på ön under hela medeltiden. Pollenfloran tyder på att de första kolonisatörerna på ön livnärt sig bl a på sädesodling och boskapsskötsel. Därutöver har förmodligen fiske varit ett viktigt inslag i hushållningen. Apofyter och antropokorer uppvisar i diagrammen en topp kring mitten av 1200-talet. Förmodligen har människan pressat de begränsade naturresurserna ännu mer, kanske som följd av en befolkninsökning. De historiska källornas vittnesbörd om bebyggelseexpansion under 1500-talet bekräftas i pollendiagrammen. Jämförelser mellan pollendiagrammen och det skriftliga materialet visar att i de förra syns framförallt förändringar inom sädesodlingen och i betydligt mindre grad förändringar av boskapsskötselns omfattning. Detta beror förmodligen på att betningen av tradition ägt rum på de naturliga strandängarna.

7. Kemi[135]

Indikation: Undersökningslokalenvaldes för att representera en flodterras där människans närvaro förmodas ha varit långvarig.
Problem: Att undersöka huruvida det överhuvudtaget var möjligt att spåra människans tidiga inflytande i flodsediment från lågt liggande flodterrasser, som idag utgör en viktig del av odlingsmarken. Vidare var det önskvärt att

---

134 Jfr. Berglund, Late-Quaternary vegetation.
135 Reynaud & Tobolski, s. 35—52.

Fig 25. Mjölke eller Rallarros. Dess lysande violettröda blommor möter oss på skogshyggen och avbrända områden. Växten trivs där det är ljust och torrt. I sedimenten skvallrar riklig förekomst av mjölkepollen tillsammans med förkolnade trädrötter bland makrofossilerna om att marken en gång röjts med hjälp av eld. (Teckning: Dagny Tande Lid; ur Lid, Flora, s. 514).

jämföra pollenspektra med makrofossilerna från samma provhorisonter. Uppsatsen är starkt inriktad på metoddiskussion.

Resultat:

Fr o m. 600-talet e kr: Alltifrån sedimentationens början och flodterrassens tillkomst har det mänskliga inflytandet gjort sig gällande på den omgivande vegetationen. Pollenanalysen visar att den mänskliga aktiviteten rubbat jämvikten i platsens ursprungliga vegetation. Pollen förekommer av flera CIP varibland sädesslag (havre). Så småningom har tydligen boskapsskötseln fått vika för en tilltagande sädesodling. Rikliga fynd av pollen från mjölke har gjorts i en nivå som bland makrofossilerna innehåller många rester efter förkolnade trädrötter. Mycket talar alltså för att odlingsytorna åstadkommits genom svedning.

8. Österbottens kustland och älvdalar[136]

Indikation: Undersökningslokalerna (9 st) valdes så att de tillsammans skulle representera Österbottens kustland och den nedre delen av älvdalarna i området. I första hand valdes sådana platser som enligt arkeologiska och historiska undersökningar haft långvarig bosättning (se fig 26).
Problem: Att fastställa bosättningens utveckling och dess påverkan på vegetationen i området.
Resultat: Samtliga pollendiagram tyder på en mycket tidig och ganska tät mänsklig närvaro i området. De ekonomiska aktiviteterna har varierat alltefter platsens karaktär och därigenom har också människans påverkan på vegetationen varierat från lokal till lokal. På en enda lokal har det mänskliga inflytandet gjort sig gällande förhållandevis sent (1060 e kr) men det beror då på att platsen inte tidigare varit tillgänglig för odling, då den först sent höjt sig ur vattnet genom landhöjningen. På en annan provlokal i närheten har det

---

[136] Reynaud & Hjelmroos, Pollen evidence, s. 257—304.

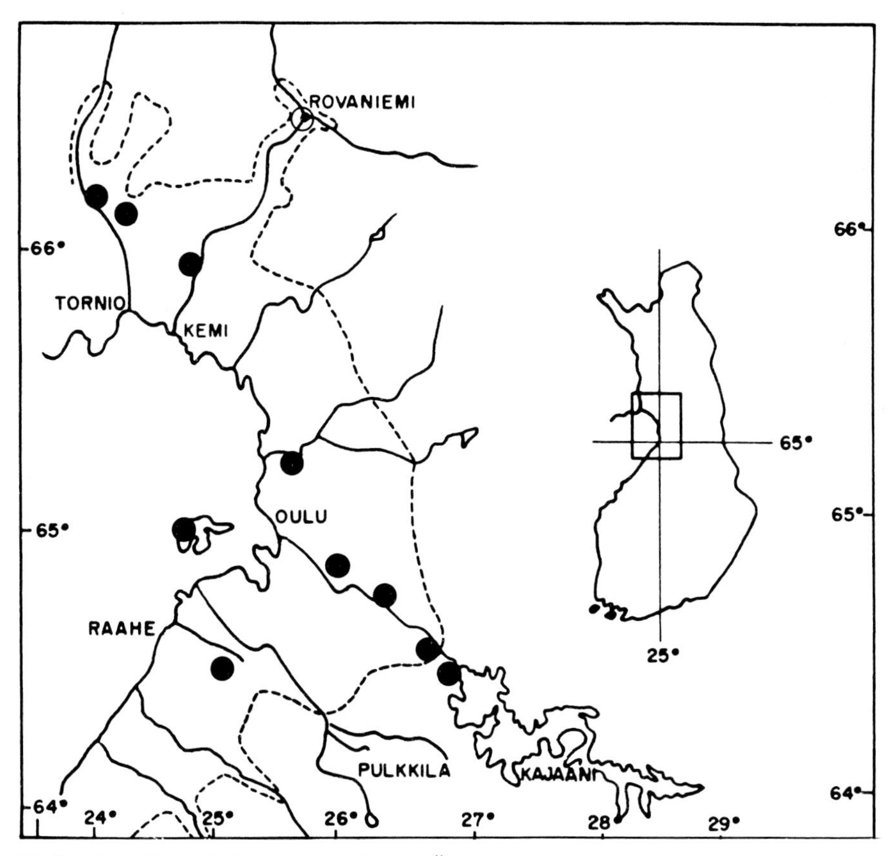

Fig 26. De pollenanalytiska provlokaler (•) i Österbottens kustland och älvdalar som ligger till grund för resultatredovisningen i undersökning nr 8 (se texten). ——— = Litorinahavets högsta strandlinje (efter Reynaud & Hjelmroos, Pollen evidence, s. 259).

mänskliga inflytandet emellertid gjort sig gällande så tidigt som 2.500 f kr.

Stenåldern: Det första mänskliga inflytandet på vegetationen i området kan spåras till Oulujokis dalgång. På en nivå som daterats till 4.300 f kr har pollen från sädesslag påträffats. Förmodligen har detta jordbruk startat i samband med kamkeramikkulturens ankomst till området. Arkeologiska fynd tyder på förbindelser mellan norra Finland och Baltikums södra kust liksom österut. Förmodligen har även jordbrukstekniken spritts denna väg. I delar av Oulujokis dalgång har alltså redan före 4000 f kr utvecklats en förhållandevis betydande bosättning som röjt land och odlat säd (den s k Säräisniemi-kulturen). Man kan då häpet konstatera att detta tidiga ''landnam'' i det fjärran nord inte bara är samtida med, utan faktiskt till och med tidigare än det sydskandinaviska ''landnamet''. Även på ett par andra i undersökningen ingående lokaler har lämningar efter Säräsniemi-kulturen påträffats. Det är dock svårt att uppskatta hur lång tidsperiod de olika grupperna av människor stannat vid de odlade ytorna. Jakt och fiske har utan tvivel varit huvudnäringen.

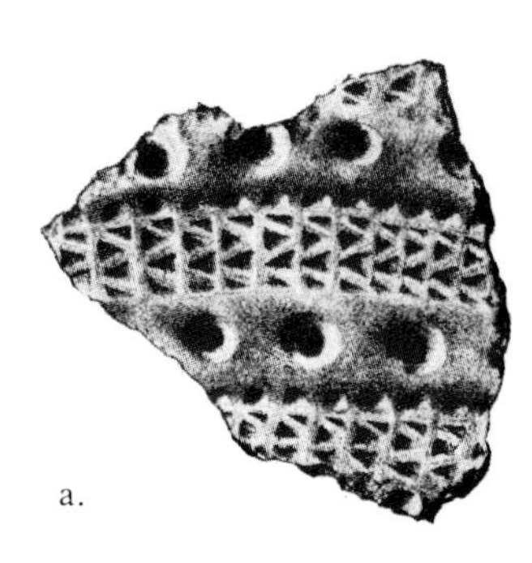
a.

b.

Fig 27. En lerskärva efter Säräisniemi-kulturen. För 6000 år sedan har bärare av denna kultur i Oulujokis dalgångar röjt land, odlat säd samt idkat boskapsskötsel i blygsam skala. Det är de senaste pollenanalytiska resultaten som visar att denna kultur inte enbart varit en fångstkultur, vilket man tidigare antagit. Lerskärvan ger en aning (jfr fig 27b) om att tid och möda även ägnats konsten att framställa stora vackra lerkärl. (Foto efter Julius Ailio, Die steinzeitlichen Wohnplatzfunde in Finland. I. Teil. Übersicht der Funde. Helsingfors 1909. plansch 13).

b. Ett praktexemplar av de kamkeramiska lerkärlen. Det kamliknande tryckmönstret är typisk för denna kultur, varav Säräsiniemi-kulturen är en lokal variant kring Oulujokis sjösystem. (Foto efter Ella Kivikoski, Finlands förhistoria. Stockholm 1964, s. 43).

Den tidiga förekomsten av sädesslag är ingen udda företeelse som bara gäller den aktuella lokalen. På de flesta av de andra lokalerna förekommer de första pollena från sädesslag på mycket tidiga nivåer (3000 f kr; 3.600 f kr; 2.500 f kr; 3.100 f kr; 1.700 f kr; 840 f kr: 230 f kr).

Bronsåldern: Under bronsåldern påverkar människan kraftigt kulturlandskapet i hela norra Österbottens kustland.

Järnåldern: Människans påverkan på naturlandskapet tycks enligt pollendiagrammen ha blivit allt starkare framemot tidig järnålder. Speciellt gäller detta Kemi och Ios dalgångar där i den förra älvdalen odlingen av den brukbara jorden börjar c:a 700 f kr för att avta 400 år senare. Odlingsetableringen sker på bekostnad av granen eftersom denna växte på de för brukning bästa och mest lämpade jordarna. Strax efter 300 f kr tycks övergiven kulturjord ha invaderats av buskar och björkskog, vilket tydligt avspeglas i pollenspektra. Att döma av diagrammet från Ios dalgång måste röjningarna där ha varit förhållandevis stora och bosättningen kan då förmodas ha varit ganska betydande. Efter en lätt stagnation århundradena kring kristi födelse startar c:a 450 e kr en ny utvecklingsprocess på de flesta provlokaler. Odlingen börjar nu allt mer ske på permanenta fält. Det kan observeras att denna process är ungefär samtida i Österbottens kustland och i södra Finland. Allt framgent finns ett varaktigt inflytande av människan på landskapet.

Kommentar: I ovanstående undersökning ingår även lokaler i Tornedalen. Resultaten från undersökningen av dessa lokaler skall specialredovisas i samband med diskussionen av övriga resultat från Tornedalen.

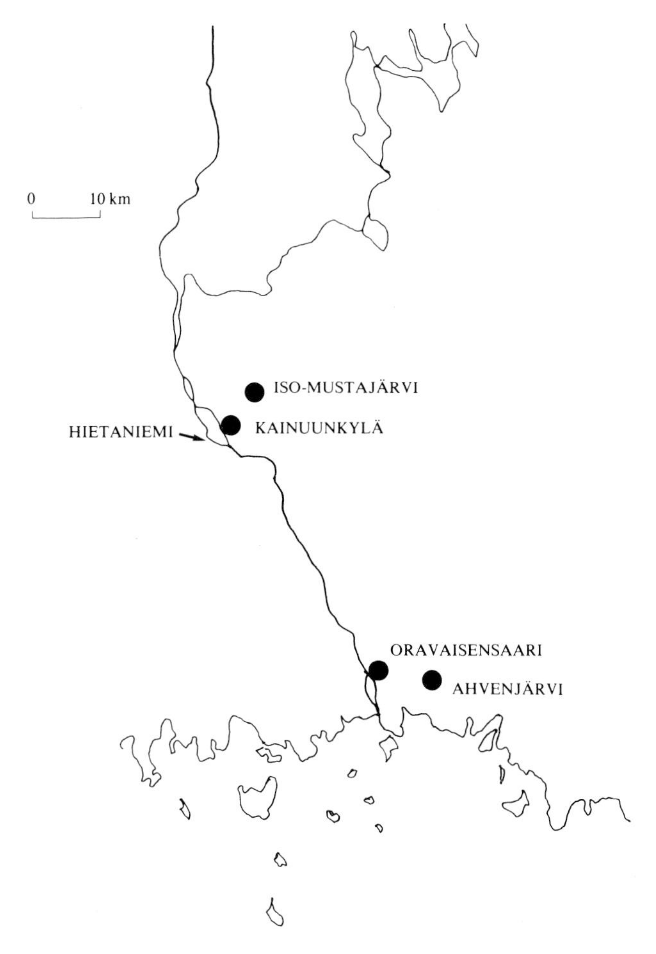

Fig 28. Pollenanalytiska provlokaler i Tornedalen (se undersökning nr 9).

9. Tornedalen[137]

Indikation: Undersökningslokalerna (4 st) valdes utifrån arkeologiska och skrifthistoriska kriterier. Två platser i älvdalen ansågs utifrån arkeologiska och historiska undersökningar kunna komma ifråga såsom varande gamla bosättningsplatser — Oravaisensaari och Kainuunkylä. Då dessa platser trots områdets snabba landhöjning först sent höjts ur vattnet önskade man även ett par högre upp belägna provlokaler som kunde ge s.k. referensdiagram dvs jämförelsematerial.

---

[137] Mervi Hjelmroos, Den äldsta bosättningen i Tornedalen. En paleoekologisk undersökning (Report nr 16. Department of Quaternary Geology, University of Lund. Lund 1978), s. 1—60.

Provlokaler:

Oravaisensaari — ö i Torneälv c:a 6 km norr om Torneå stad. Tre borrprover togs med c:a 50 meters mellanrum. Samtidigt pågick arkeologisk undersökning.

Ahvenjärvi — en liten sjö (100 × 300 m) med omgivande myrmark. Belägen c:a 11 km öster om Oravaisensaari och älven. Då sjön har en viss genomströmning med åtföljande störningar av sedimentlagren togs proven i den omgivande myrmarken.

Kainuunkylä — strandbosättning c:a 60 km norr om Torneå stad. Platsen undersöktes samtidigt arkeologiskt. Prov dels från en skogshöjd c:a 500 m från det arkeologiska grävningsområdet och dels direkt ur schaktväggarna tillhöriga den arkeologiska undersökningen.

Iso-Mustajärvi — en sjö (250 × 1500 m) 2,5 km nordost om platsen för den arkeologiska utgrävningen. Sjön ligger 75 m över havet. Prov togs direkt ur sjöbottnen från isen under vintern.

Problem: Att med hjälp av pollenanalys spåra det första mänskliga inflytandet på vegetationen i Torne älvdal och samtidigt beskriva kulturlandskapsutvecklingen i älvdalen. Härigenom hoppades man kunna komplettera det arkeologiska materialet och det mycket bristfälliga skriftliga materialet.

Resultat:

a) Oravaisensaari

Fr o m c:a 1050 e kr: Så snart ön höjts ur havet startar människans ianspråkstagande av dess nyttigheter. På älvstränderna förekom strandskogar som domineras av björk och al och längre inåt landet har gran dominerat. På ön har funnits översvämningsängar närmast stranden, vilka förmodligen stundtals använts för bete. Landskapet blir allt mer öppnet och har av allt att dömma (mjölkepollen) röjts genom eld, vilket antagande styrks av att sedimenten innehåller vedrester och kolbitar. Det finns även rågodlingar på ön. På samma nivå som rågpollen påträffats finns även pollen från mjölke, nässla och humle/hampa. Efter denna första öppningsfas av landskapet synes en viss avmattning ha skett men fr o m 1400-talet är det mänskliga inflytandet på öns vegetation konstant.

Det paleoekologiska materialet har ej kol 14-daterats utan kronologin vilar på dels arkeologiska dateringar (varav 1 st kol 14) och dels beräkning av sedimentationshastigheten.

Inom Oravaisensaari utgrävningsområde gjordes också s k grobarhetsprov dels på platsen och dels i växthus med prover från platsen. Avsikten var att se om den fossila floran innehöll oväntade inslag. Undersökningen gick till på följande sätt och gav dessa resultat:

1) På en nivå som arkeologiskt daterats till slutet av 1500-talet övertäcktes

Fig 29. Oravaisensaari. Foto: R. Kainulainen.

på hösten en 100 m² stor yta, mestadels utgörande bottnar i provschakt. Den lämnades sedan i fred till påföljande vår. Provområdets vegetation skilde sig dock inte mycket från den nuvarande på platsen. Detta gäller framförallt artsammansättningen ehuru den procentuella fördelningen mellan de ingående arterna blev något annorlunda i provytans vegetation jämfört med dagens. En växt — desmeknopp- som idag saknas på platsen förekom på provrutan.

2) 3—5 kg samlades in från en nivå som arkeologiskt daterats till 1500-talets slut. Grobarhetsprov gjordes sedan i växthus. Det visade sig mycket svårt att försöka rekonstruera de växtförhållanden beträffande temperatur och luftfuktighet som kan antagas ha rått under medeltid och 1500-talet. Försöket misslyckades också nästan helt. Endast två plantor, en målla och en korsblommig växt, växte upp.

Försöket gav inte underlag för några vidare paleoekologiska slutsatser, men refereras här för att det representerar en hittills ovanlig paleoekologisk forskningsmetod, som kanske kan vidareutvecklas mot lyckligt genomförda försök.

b) *Ahvenjärvi*

Omgivningen synes ha bestått av skog med inslag av strandvegetation. Uppenbart har det rått öppna fuktiga miljöförhållanden, där bl malört och havtorn växt. Vid den nivå som motsvarar *c:a 300 e kr* sker en markant förändring av pollensammansättningen. Al och björk avtar betydligt med samtidig förekomst av mjölke, vilket skulle kunna tyda på röjning av skogen med hjälp

av eld. Förekomst av en, nässla och groblad tyder på betesmarker. Människans påverkan på vegetationen är dock inte tillräckligt stark för att antyda något annat än att i närheten av platsen funnits en av jägare/fiskare säsongmässigt uppsökt boplats med intilliggande betesmarker.
Nivån 300 e kr hal kol 14-daterats.

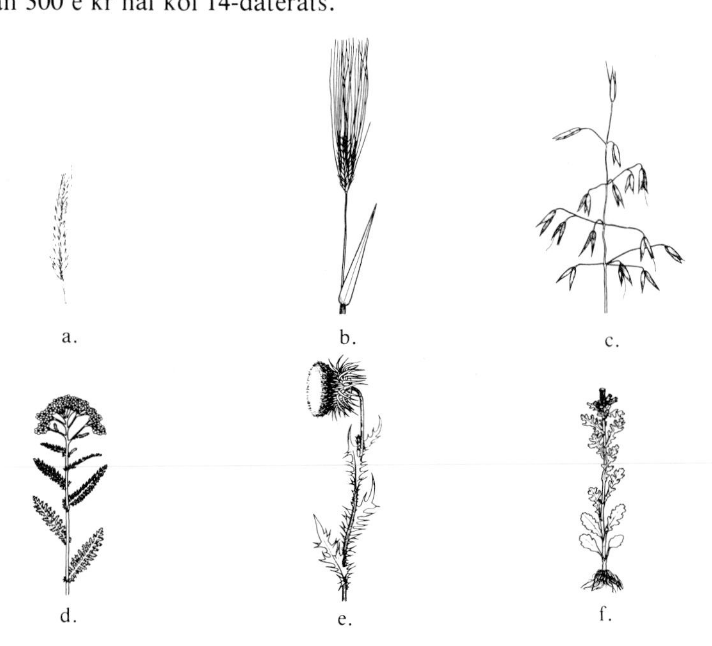

Fig 30. Vid 1000-talets mitt har enligt pollenanalysen bl a dessa växter gått i blom i närheten av Kainuunkylä. Pollen från såväl sädesslag (a. råg b. korn c. havre) som ogräs (d. röllika e. tistel f. korsört) förekommer i mycket stora koncentrationer. Deras samtidiga förekomst tyder på att här vid den tiden funnits extensivt odlade åkerytor. (Teckningar: Dagny Tande Lid; ur Lid, Flora, s. 106, 140, 144, 681, 696 och 692).

c) Kainuunkylä

Granskogen har stått tät, men eftersom granen växte på den bördigaste marken har röjningar förekommit här och där på vilka man odlat först råg men sedan även andra sädesslag. Människor har påverkat platsens vegetation långt innan det uppkom fast bosättning här. Förmodligen har människor som bott inåt landet (se resultalten från Iso-Mustajärvi) haft s k utsädesspannmålsåkrar på älvsluttningarna mot väster.

Fr o m 1060 e kr blir platsen lämplig att bebo och tas också genast i besittning av människan. Förhållandet mellan AP/NAP visar en stigande andel NAP samtidigt som åtskilliga pollen från mjölke återfinns på denna nivå. Strandskogen har med andra ord röjts genom svedning. Sädespollen (råg, korn och havre) förekommer i mycket stora koncentrationer. Detta liksom den rikliga förekomsten av pollen från ogräs som röllika, tistel, korsört etc tyder på närvaron av extensivt odlade åkerytor. Platsen har alltså haft perma-

Fig 31. Kannala i Kainuunkylä under vårfloden 1977. Foto: K. Sandman.

nent bosättning fr o m c:a 1060 e kr. Profilen har daterats med hjälp av landhöjningskronologi, 1 st kol 14-datering samt beräkning av sedimentationshastigheten.

d) Iso-Mustajärvi

Människan har tidigt påverkat vegetationens sammansättning i trakten kring Iso-Mustajärvi. Tecknen härpå i pollendiagrammen är visserligen svaga men ändock fullt skönjbara. Pollen från nässla, groblad och andra kulturindikatorer dyker upp redan på nivåer som daterats till tiden före 3000 f kr.

Men det mänskliga inflytandet ter sig alltför svagt för att kunna kopplas samman med fast bosättning. Förmodligen har något fångstkultur under lång tid och med säsongmässig variation ständigt uppsökt platsen. Men ganska snart har människan röjt skogen med hjälp av eld, slagit sig ned här och börjat odla. Det enkla jordbruket har med stor sannolikhet dominerats av boskapsskötsel. Jakt och fiske har dock förmodligen fortfarande varit huvudinslag i människans hushållning. Men redan flera årtusenden före kristi födelse har alltså människan odlat säd här uppe vid Tornedalens gamla bosättningscentrum. Kulturformen torde dock närmast vara att betrakta som en form av erämarkskultur där jakt, fiske, boskapsskötsel och sädesodling tillsammans utgjorde den grund varpå människans liv vilade. Framemot medeltiden överges svedjeodlingen som huvudsaklig odlingsform och i stället sker odlingen i allt större utsträckning på permanenta åkerfält. Av pollendiagrammen att döma har denna övergång från en säsongsbetonad fångstbosättning över ett slags halvjordbruk och till fast bondebygd med permanenta åkerfält, varit en långsam process med många fluktuationer. Detta framgår bl.a. av det influensdiagram gällande Iso-Mustajärvi, vilket här bifogas (se fig. 32). Pollenmängden från de växter som antyder människans närvaro har där för varje nivå räknats samman och uttryckts i procent av den totala pollensumman. Samtidigt har angivits hur stor del av dessa kulturindikatorer som utgörs av cerealia (= sädesslag). Längst ut till vänster har angivits vilken kulturform som olika perioder kännetecknat odlingslandskapet kring Iso-Mustajärvi. Kronologin har hängts upp på två kol 14-dateringar från skilda nivåer (3430 f kr resp 1960 f kr) samt på den med ledning härav gjorda beräkningen av sedimentationshastigheten. I diagrammets högra del har tidsskalan angivits i ålder före nutid (nutid = 1950 e kr). Diagrammet är ett s k spegeldiagram, vilket innebär att aktuella värden angivits likformigt på ömse sidor av 0-axeln. Som bakgrund till diagrammet skall vi kortfattat kommentera de olika kulturformerna och dessas kännetecken i pollenmängden.

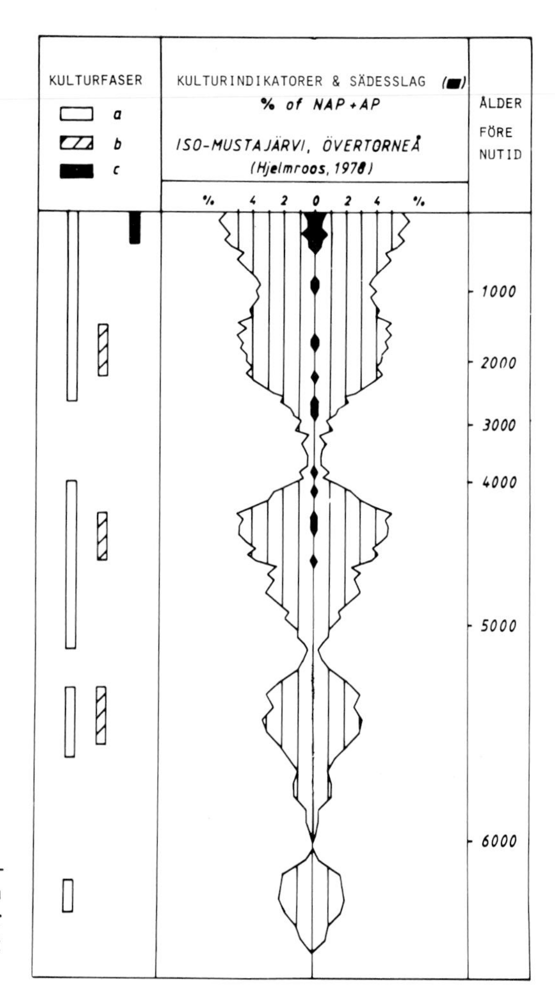

Fig 32. Influensdiagram för Iso-Mustajärvi. För förklaring se texten s. 72 ff. (Fil dr. Mervi Hjelmroos har välvilligt ställt detta diagram till mitt förfogande)

Betesstadier (markerat med ''a'' i diagrammet)

Kan spåras genom uppdykande av eller ökade värden för: spetsgroblad — nässla — en — ljung — vildgräs.

Närvaro av nässla är ett tecken på stadigvarande bosättning i närheten av provlokalen, eftersom nässla aldrig registrerats som del i den naturliga floran i området. I varje fall gäller detta postglacial tid. Människans verksamhet påverkar i mycket liten grad skogens sammansättning.

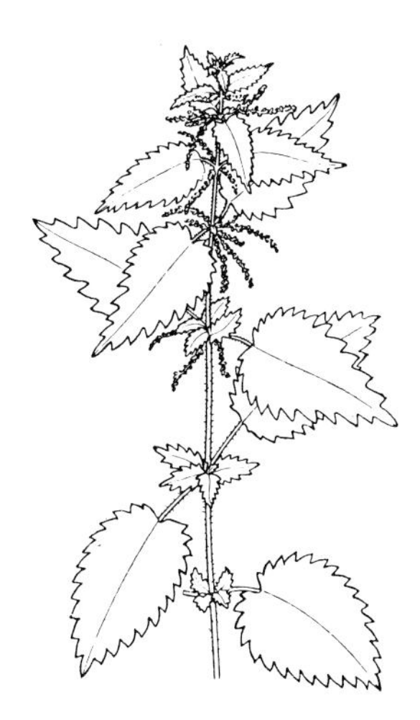

Fig 33. Nässla — en av de säkraste kulturindikatorerna. (Teckning: Dagny Tande Lid; ur Lid, Flora, s. 268).

Svedjestadier (markerat med ''b'' i diagrammet)

Denna kulturform kännetecknas av skogsbränder och odling efter röjning. Den kan spåras i pollenmängden genom förekomst av pollen från: mjölke — ljung — en — fingerört — vildgräs — sporer från jordrök och örnbräken.

De minskade relativa värdena för ormbunkar kan tillsammans med ovanstående brandindikatorer tyda på en minskning av skogen. Genom att närmare analysera de erosionsälskande växternas förekomst, kan i de flesta fall naturliga skogsbränder särskiljas från av människan anlagda bränder.

De första få pollen från sädesslag förekommer i samband med övriga tecken på denna kulturform. Dessa få pollen tyder förmodligen på mycket lokala jordbruk i provlokalens omedelbara närhet.

Så långt som den mänskliga verksamheten sträckt sig har en lokal förändring av naturmiljön ägt rum. Denna förändring har orsakats av röjning med hjälp av eld samt olika former av jordbruk.

Odling i fasta åkersystem (markerat med ''c'' i diagrammet)

I stället för svedjebruk med ständigt roterande odlingar (vilket inte är det samma som att bosättningen flyttar) börjar nu odlingen allt mer ske på samma åkerfält. Detta innebär också att gödsling införs. I pollenmängden yttrar

Fig 34. Mjölke (a), ljung (b), jordrök (c) och örnbräken (d) är några av de växter som ljudligast skvallrar om svedjestadier i odlingen. Pollen från dessa förekommer i rikliga mängder på olika nivåer i sedimentproven från Iso-Mustajärvi. (Teckningar: Dagny Tande Lid; ur Lid, Flora, s. 37, 350, 514 och 554).

sig denna kulturform i en minskning av andelen granpollen, vilket antyder en öppning av landskapet. I övrigt sker inga dramatiska och tydliga förändringar i skogssammansättningen. De fasta åkerfältens förekomst avslöjas genom att de erosionsälskande växterna och vildgräsen ökar sin andel av pollenmängden. Pollen från sädesslag förekommer nu regelbundet på varje nivå och med ökande eller konstanta värden.

I området kring provlokalen brukas nu jorden konstant och på fasta åkerfält. När odlingen så småningom intensifieras och utvidgas kommer människans verksamhet härmed att få genomgripande konsekvenser för vegetationens sammansättning.

Översiktstablå

	Typ av provlokal	Antal prov-profil	Antal räkn. pollen/nivå + provtäthet	Kompletterande analysmetod	Dateringsform	1:a röjningsfas	1:a cerealia + cerealiatyp	Varaktig öppning av landskapet	Stagnationsskeden
1	2 torvm inlandet 1 sjö	4	400—1000	Diatomacee 10 cm	47 st C^{14} + landhöjning	c:a 2200 f kr	2200 f kr (vete + korn) 500 e kr (vete + korn + råg)	800 e kr samtl diagr 800—1100 e kr expansionsfas	c:a 600 f kr—0 0—300 e kr (ont om CIP)
	1 torvm } kusten 2 sjöar }	4		—"—					
2 a	1 sjö/kusten	4	300 AP		4 st C^{14}	c:a 900 f kr	900 f kr (vete)	750 e kr (korn + råg)	
2 b	2 myrar } kusten 1 sjö }	2 1	1000 AP		10 st C^{14}	700 f kr	700 f kr (korn + vete + havre) 500 e kr (korn + råg)	500 e kr fr o m 1100-talet en stark expansion	400 f kr—500 e kr (tomt på CIP) slutet av 1400-talet
2 c	1 sjö			Paleolimnologisk analys	se ovan 2b			stark jordbruksfas c:a 800 e kr	
3	1 kärr 1 torvk kusten	2	500 TP 2—5 cm	Makrofossilanalys Diatomaceeanalys Träkol	11 st C^{14} 1 i ansl till pollenanalysen	se resultatredovisningen ovan s. 60 f			
4	1 sankmark vid kusten	2	1000 AP 1/cm	Makrofossilanalys 2 cm	11 st C^{14}	c:a 1500 f kr	c:a 1500 f kr (korn)	0—500 e kr (korn + råg)	
5	1 sjö/inlandet	1			årsvarviga sjösediment	1440—1470 e kr	1440—1470 e kr		
6	1 våtäng 1 mosse	2	2000 TP 200 NAP 1 cm		1 st C^{14} sediment-hast + hist data	c:a 1150 e kr med topp 1250 e kr	c:a 1200 e kr (spec råg)		
7	1 flodterass	1		Makrofossilanalys	1 st C^{14}	c:a 500—600 e kr	c:a 500—600 e kr (havre)		
8	9 lokaler torvm + sjöar	(upp till snitt snitt	8000 TP 3000 TP 400 NAP) 4 cm		39 st C^{14} alla viktiga zongränser	c:a 4300 f kr 1600—400 f kr kraftig påverkan 690—290 f kr exp i Kemi och Io	c:a 4300 f kr	c:a 450 e kr	300 f kr—450 e kr
9	2 sjöar 3 odlingsm.	7	3000 TP 300 NAP 1—5 cm	Grobarhetsprov	5 st C^{14} av nivån: första kulturpåverkan	1 sjö = 2500 f kr 1 sjö = 300 e kr övr = 1050 e kr 1060 e kr	före 2500 f kr = 1100 e kr = 1060 e kr	 1100 e kr 1100 e kr	

Resultatsammanfattning: Södra delen av uo.

LOKAL: *Norra Ångermanland*
Södra Västerbotten (nedre delen av Ume älvdal)

Tid	*Kulturlandskapsutveckling*	*Indikation*
mellan-neoliticum	Kortvarigt åkerbruk med viss sädesodling	Förekomst av cerealia (sädespollen)
800 f kr	Varaktigt mänskligt inflytande på kulturlandskapet.	Förändring av skogspollensammansättningen.
fr o m 700 f kr	Klara indikationer på åkerbruk. Öppna fält och bebyggelse	Sädes- och ogräspollen. Även andra kulturindikatorer.
400 f kr—500 e kr	Spår av mänsklig verksamhet i form boskapsskötsel eller åkerbruk avtar eller upphör. Igenväxningsskede.	Kulturpollen, cerealia och ogräs avtar. Skogspollen tilltar liksom ''vilda växter''-pollen.
fr o m 500 e kr	En kraftig initial och varaktig öppning av kulturlandskapet. Sädesodling och odling av hampa. Jordbruksmetoder med en kombination av boskapsskötsel och åkerbruk. Åkermarken utvidgas men framförallt tilltar beteslandskapet. Större delen av kulturmarken använd till bete.	Skogspollen avtar. Sädes- och cannabis-pollen tilltar kraftigt. Gräs o likn pollen ökar markant.
vikingatid (800—1100)	En verklig expansiv fas av den närmast ovan beskrivna ökade odlingsintensiteten.	Kulturpollen (se ovan) ökar explosionsartat.
1300—1500 senmedeltid	En avmattning av den agrara aktiviteten. Detta gäller även betningen. Har områdets sandiga jordar överutnyttjats, så att bönderna flyttat betningen långt från byn, varför ej denna aktivitet kan avläsas i pollendiagrammen från aktuella provlokaler?	Nedgång i pollenkurvorna i motsvarande grad som man tidigare kunnat avläsa ökningar.

Felkällor: Dateringen kan vara inexakt och har för C^{14} vanliga felmarginaler dvs beträffande dateringarna för medeltiden kan de förskjutas +— 100 år cirka. För äldre tidsperioder blir felmarginalerna större. De blir dock i detta sammanhang ointressanta eftersom resultaten även med hänsyn till felmarginalerna avviker så markant mot tidigare forsknings uppfattning.
Låg ariell representativitet. De ovan refererade undersökningarna representerar en yta med c:a 2 mils radie. Å andra sidan har flera olika provlokaler använts varvid analyserna gett liktydiga resultat.

Slutsats: Odlingslandskapet har öppnats långt tidigare än man förr antagit. Fr o m Vendeltid sker en initial, varaktig öppning av kulturlandskapet. Sädesodlingen ökar under hela perioden fram till ca 1300. Odling av hampa förekommer. Det mest framträdande draget i kulturlandskapet är dock det ständigt tillväxande beteslandskapet. Fr o m 1300 synes i varje fall på provlokalerna en stagnation av den agrara aktiviteten ha ägt rum.

Resultatsammanfattning: Norra delen av uo.

LOKAL: *Norra Kvarkenområdet* (nedre delen av Tornedalen samt norra Österbottens kustland)

Tid	*Kulturlandskapsutveckling*	*Indikation*
3.000 f kr	Jakt och fiske.	Förekomst av groblad och nässla tyder på människans närvaro.
2.500 f kr	Skogen röjes med eld (svedning) och sädesodling i mindre skala förekommer. Dock förmodligen endast säsongsvis uppsökta platser.	Nedgång i björkpollen med samtidig uppgång av mjölkepollen (=svedning). Viss förekomst av sädespollen.
1.600 f kr — 400 f kr	En kraftig påverkan från människan på kulturlandskapet registrerad i alla pollendiagram från norra Österbottens kustland.	
400 f kr — 500 e kr	Stagnations- och igenväxningsskede. (Se pollendiagram från övriga delar)	Kulturpollenfrekvenserna avtar.
500 e kr — framåt.	Åter kraftig mänsklig påverkan på kulturlandskapet. Riklig förekomst av granskog men med stora odlade ytor insprängda. Odling av råg, även andra sädesslag såsom havre och korn. (Klimatet för strängt för vete). Mycket höga koncentrationer av sädespollen. Även beteslandskap.	Björkpollen avtar. Mjölke tilltar. Riklig granpollenförekomst. Bland cerealia verkar råg dominera men även havre och korn. Vetepollen saknas.
1000—1100 e kr	Vissa tecken på klimatförsämring. Jordbruket avtar. Beteslandskapet expanderar på åkerbrukets bekostnad. Lokala variationer mellan provlokaler, dock ej särskilt markanta. Fr o m denna tidpunkt finns en varaktig kraftig påverkan av människan på kulturlandskapet.	De värmeälskande växternas pollen avtar i frekvens, liksom cerealia. ''Betes''-pollen tilltar.

Felkällor: Se s. 76.

Slutsats: Människans närvaro så som den kan utläsas av pollendiagrammen stämmer väl överens med tidigare arkeologiska resultat. Sädesodling har dock förekommit långt tidigare än man förr antagit. Framförallt bör det observeras att bofast bebyggelse med sädesodling och animalieproduktion som näringar här funnits från senast 1000 e kr, varefter kulturlandskapspåverkan från människans sida är ständig inom området. Detta är i förhållande till tidigare historievetenskapliga forskningsresultat minst sagt uppseendeväckande. De kan underbyggas med arkeologiska, namnvetenskapliga och nu även nyare historievetenskapliga resultat. Observera också att råg här förekommit tidigare än korn och havre. Tidigare har växthistoriker trott att rågen var en sen invandrare till Norra Bottenviksområdet.

Observera överensstämmelsen mellan de olika undersökningarna vad beträffar de huvudsakligaste slutsatserna.

Utveckling: Jakt och fiske — säsongsvis uppsökta primitiva odlingar med betesgång för kreaturen — bofast erämarksbruk (jakt, fiske, boskapsskötsel, sädesodling) — boskapsskötseln och åkerbruket skjuter successivt jakten och fisket i bakgrunden till att bli säsongsbetonade.

SAMMANFATTNING

De resultat som jag här refererat visar på ett vältaligt sätt vilka möjligheter som det paleoekologiska betraktelsesättet, närmast här pollenanalysen erbjuder för att belysa odlingslandskapets tillkomst och framväxt. Härigenom närmar vi oss också något väsentligt i de bebyggelsehistoriska problemställningarna. Genom att analysera vegetationsutvecklingen och därmed även kulturlandskapet kan man fastställa de utgångspunkter som rått för bebyggelsens framväxt dvs de ekologiska ramar inom vilka bebyggelsen måste formas. Om vi nu mot denna bakgrund konfronterar ovanstående resultat med vår egen frågeställning ser vi att denna av de pollenanalytiska undersökningarna får ett samstämmigt svar: den rekonstruktion av bebyggelsen i området före mitten av 1500-talet som gjorts inom tidigare historisk forskning är felaktig! Precis som vi själva misstänkt, när vi diskuterade det skriftliga materialet, har inte Övre Norrland före 1300 varit den jungfruliga vildmark man framställt området som. Odlingen och bebyggelsen har inte tillkommit under senmedeltiden och bosättningen har inte skett i form av ett punktuellt fenomen med massinvandring av söderifrån kommande jordbrukare. Det är inga ansvarsfulla stormän som står för Övre Norrlands uppodling under medeltiden. Verkligheten är betydligt mindre dramatisk. Samtidigt är denna motsättning i uppfattningarna av ganska primitiv natur, och kan till stor del förklaras genom skillnader i perspektivval. Förklaringarna till hur 1500-talets av oss välkända bebyggelsebild i området uppstått har oftast av historiker sökts i situationella faktorer. Det är Nöteborgsfredens oklara gränsdragningar som förorsakar den svenska kronan att initiera kolonisation av området. Det är av odling intresserade stormän som transporterar upp folk från sina i mellansverige belägna gods, för att odla upp Pitetrakten etc etc. Finns det mot bakgrund av de refererade paleoekologiska resultaten och mot bakgrund av vår egen diskussion av det skriftliga materialet något rimligt skäl att tro på dessa teoriers riktighet? Ett nekande svar hindrar inte att de ändock kan vara av intresse. Det är helt klart att centralmakten fr o m 1300-talet alltmer börjar intressera sig för det här aktuella området. Tecknen därpå är många och vältaliga, och får sitt tydligaste uttryck i Gustav Vasas skattereformer mot mitten av 1500-talet, vilka just i Norrland får genomgripande verkningar. Den noggranna skattläggningen får bl a till följd att vi med ganska stor säkerhet kan fastställa bygdens omfattning vid tidpunkten för skattelängdernas tillkomst. Men det skriftliga materialet före mitten av 1500-talet ger inte någon bild av hur denna bebyggelse vuxit fram, men väl av hur centralmaktens och andra gruppers intressen formuleras. Även om övergången till odling på fasta åkerfält också sker under medeltiden, behöver det inte sättas i samband med några invandrande innovatörer, utan kan i stället som vi sett vara ett stadium av odlingens utveckling. Mot det tidigare politiskt-ekonomiska betraktelsesättet har här ställts ett ekologiskt. Den rekonstruktion av utvecklingen som skisseras mot bakgrund av detta betraktelsesätt är inte beroende av ett fåtal skriftliga uppgifter med svårtolkat innehåll, utan grundas på material som oberoende av mänsklig planering kontinuerligt bevarats, men vars utformning till stor del varit beroende av den mänskliga verksamhetens inriktning. Med detta betraktelsesätt som grund kan bebyggelsen i vårt område i grova drag rekonstrueras.

Vi måste dock bestämma oss för vad vi menar med bosättning. Det finns dels sådana bosättningar som endast har ganska kort varaktighet, dvs boplatser som säsongsmässigt uppsökts av jägare, fiskare och samlare. Sådan bosättning har endast i mycket liten grad påverkat vegetationens sammansättning och är därför också svår att spåra vid pollenanalysen. Själva grunden för den senare är ju växttäckets förändring. Denna förändring blir markerad i och med landnamet dvs då människan inte längre nöjer sig med de av naturen givna växtarrangemangen, utan själv försöker bestämma växttäckets sammansättning. Detta är den stora ekologiska förändring, vari människan är huvudaktör. Naturligtvis har detta skede givit utslag i pollenflorans sammansättning vid den aktuella tidpunkten. Människan börjar också mer planerat nyttja djuren för sina syften. Men en hushållning baserad på odling och boskapsskötsel kräver helt annan planering än en hushållning där tillgången på byte styr verksamheten. I ett område där många av växterna lever på gränsen för det acceptabla måste ett hos människan fullständigt beroende av odling ha varit en otrygg tillvaro. Samtidigt var tillgången på bytesdjur visserligen utsatt för variationer, men dock oftast mycket riklig. I ett sådant område måste den perfekta riskfördelningen ha funnits i en hushållning där jakt, fiske, boskapsskötsel och sädesodling utgjorde självklara inslag. Vi har här ovan också sett hur i vårt område olika kulturformer existerar sida vid sida såsom de ger vittnesbörd om i den fossila pollenflorans sammansättning vid olika tidpunkter. (Jfr t.ex. fig. 32). På grund av sin extensiva natur, då den ständigt krävde nya resursytor har svedjeodlingen så småningom övergivits till förmån för fasta åkrar. Den redan sedan förut utbredda djurhållningen kom därvid att spela en ny roll i och med den fasta åkerns ständiga behov av gödsel. Det är mot *denna* bakgrund som vi måste analysera bebyggelsen sådan den ser ut vid mitten av 1500-talet och det är mot denna bakgrund vi måste försöka rekonstruera bebyggelsen under medeltiden. Detta skall emellertid göras i annat sammanhang. Avsikten här var ju enbart att diskutera huruvida vi skulle kunna närma oss vår egen problemställning genom att utvidga våra resonemang till att omfatta även de pollenanalytiska resultaten. Vi har också visat hur det med utgångspunkt från de pollenanalytiska undersökningarnas resultat är möjligt att i grova drag rekonstruera bebyggelsens utveckling i Övre Norrland före mitten av 1500-talet.

Innan vi lämnar detta skall vi kortfattat kommentera de undersökningar varpå vi stöder vår inställning.

Vi har refererat alla undersökningar som hittills finns och som berör den del av området där den äldsta odlingsbygden kan misstänkas finnas. Någon kan hävda att dessa undersökningar är alltför få och spridda för att kunna generaliseras till att gälla hela detta vida område. Det är självfallet en helt acceptabel invändning. Varje undersökning har i allmänhet ganska begränsad representativitet när det gäller den aktuella ytan. I något fall som Österbotten och Tornedalen men även Norra Ångermanland är det dock ett ansenligt antal borrprofiler som ligger till grund för tolkningarna av hur odlingslandskapet utvecklats. För att man genom dessa undersökningar skall kunna få en grov bild av hur utvecklingen varit har resultaten från dem sammanförts till en översikt. (se ovan s. 76 f) Man kan också med fog säga att beträffande alla provlokaler där det finns möjlighet att människans tidiga förekomst skulle kunna registreras har så även skett. Detta gäller även för områdets nordligaste del, Tornedalen. Visserligen uppvisar ett par av provlokalerna kulturpåverkan först ganska sent, men då har de också först sent blivit tillgängliga för bosättning eftersom de tidigare legat under vatten.

Naturligtvis vore det önskvärt med fler pollenanalytiska undersökningar i området. Det torde dock av det föregående ha framgått att pollenanalysens bedrivande kräver välutrustade laboratorier och välutbildade utövare. Då det dessutom är en tidskrävande forskningsmetod följer att den även är kostnadskrävande.

Beträffande det antal pollen som räknats vid varje undersökning kan man säga att i de fall det gäller större kulturlandskapsanalyser har tillräckligt antal pollen räknats, vilket framgår av översiktstablån.

Det förtjänar även påpekas att i de fall någon kompletterande analysmetod använts vid sidan om pollenanalysen t ex diatomaceeanalys, makrofossilanalys etc har resultaten från dessa sammanfallit med resultaten från pollenanalysen. I det fall de vid undersökningarna framförda dateringarna skulle användas för att i detalj rekonstruera odlingslandskapets framväxt har de sin klara begränsning. Vi har ovan framfört olika synpunkter beträffande kol 14-metodens användbarhet i dateringssammanhang. De konstateranden vi där gjorde innebär att de refererade dateringarna kräver en noggrann analys innan de kan användas för andra problemställningar än de som de primärt avser belysa. Självfallet är det otillfredsställande, då dateringar av olika nivåer i proverna hängs upp på en enda kol 14-datering i kombination med beräkning av sedimentationshastigheten. I någon undersökning har ett flertal kol 14-dateringar gjorts, varvid några uppenbart varit helt felaktiga av skäl som ovan berörts (s. 10 ff). Dessa dateringar har i denna framställning inte heller legat till grund för några kronologiska resonemang.

Oavsett dessa diskussioner kring kol 14-dateringarnas otillräcklighet kan vi i detta sammanhang konstatera att de till fullo räcker för den enkla och ur dateringssynpunkt grova problemställning vi i första hand avser att belysa med de pollenanalytiska resultaten. Den puls som kan konstateras beträffande de konkreta resultaten t ex den första röjningsfasen, sädesslagens uppdykande, stagnationsskeden och den slutgiltiga öppningsfasen av landskapet skall inte diskuteras ytterligare i detta sammanhang. Vi skall därför inte heller fördjupa oss i några klimathistoriska resonemang även om de refererade resultaten ganska lätt inbjuder till sådana. Vi kan avslutningsvis konstatera att mot bakgrund av de här refererade resultaten kan perspektivet lätt vidgas till at omfatta en jämförelse med kulturlanskapsutvecklingen i övriga delar av Norden. Även detta får dock anstå tills vidare.

Analys av årsvarviga sjösediment

INLEDNING

Kännedomen om att vissa sjösediment kunde vara årsvarviga och därför lämpade som dateringsinstrument härstammar ända från 1860-talet.[138] Schweizaren Heer introducerade dateringsmetoden, som under flera decennier från 1880-talet och framåt flitigt nyttjades av svensken Gerard De Geer. Denne intresserade sig dock uteslutande för sedimenten från de forntida sjöar som ofta låg framför den avsmältande inlandsisen. Genom utförliga varvmätningar lyckades De Geer upprätta en tidsskala för isens tillbakamarsch.[139] Men det är först under senare år som metoden utvecklats och tillämpats på ett sådant sätt att resultaten passar in i det tidsperspektiv som är av intresse för oss.

Allt fler sjöar har nämligen upptäckts ha årsvarviga sediment. Det är framförallt i Nordamerika, Finland och norra Sverige som sådana sjöar påträffats.[140]

Noggranna undersökningar av sedimentskikten har visat att dessa kan ge upplysning om miljöförändringar i sjön och dess omgivningar. Årsvarvigheten medför vidare att detta förändringsförlopp kan tidfästas mycket exakt och det är även möjligt att anknyta tidskalan till nutiden.

Dessa förhållanden motiverar att vi här något närmare diskuterar metoden, om än denna diskussion måste ske i kortfattad form.

---

[138] För forskningshistorik och allm. beskrivning av forskningsmetoder se Matti Saarnisto, Studies of annually laminated lake sediment (Palaeohydrological...), s. 61 ff; Matti Saarnisto — Pertti Huttunen — Kimmo Tolonen, Annual lamination of sediments in lake Lovojärvi, sourhern Finland, during the past 600 years (Ann. Bot. Fennici 14. 1977), s. 35 ff; Lars Brunnberg & Jan Kristiansson, Kalendern från sjöbottnen (Forskning och Framsteg 1980/7).

[139] Värt att uppmärksamma i detta sammanhang är den komplettering av De Geers tidsskala som för mellersta Norrlands del gjordes av Erik Fromm i slutet av 1930-talet. Sedimentundersökningen utfördes i detta fall som en kombination av pollen- och diatomacéeanalys. Se Fromm, s. 365—381.

[140] Saarnisto, s. 62 ff. Förutom i Medelpad, Västerbotten och Lappland har i Sverige sjöar med årsvarviga sediment indentifierats i Uppland och Södermanland (Järlasjön). Se Ingemar Renberg, Palaeoecology and varve counts of the annually laminated sediment of lake Rudetjärn, Northern Sweden (Early Norrland 11. Motala 1978), s. 64.

PRINCIP[141]

I alla sjöar och vattensamlingar förekommer en mängd små fasta partiklar. Detta kan lätt konstateras med blotta ögat då ljuset soliga dagar brytes på ett speciellt sätt i vattnet. Dessa små partiklar kan utgöras av söndervittrade berg- och jordarter, växt- och djurlämningar samt olika kemiska ämnen som utfällts i vattnet som t.ex. järn, kalcium etc. Så småningom sjunker partiklarna till bottnen av sjön där de lagras på varandra och bildar på så sätt *sediment,* dvs avlagringar. Detta sker år efter år. Vissa år är sedimenteringen större än andra beroende av en mängd olika faktorer.[142] På samma sätt varierar även sedimentens sammansättning efter årstiden, men denna variation är mer rytmisk och regelbundet återkommande. Det senare utgör också den viktigaste förutsättningen för tillämpningen av den här aktuella dateringsmetoden. Genom denna variation bildas i gynnsamma fall tydliga årsvarv i sedimentlagren.[143] Provproppar ur dessa kan sedan undersökas och årsvarven räknas.

Förutsättningar

Årsvarv i sediment bildas, som sagts, endast under speciella förhållanden, varvid bl.a. sjöns beskaffenhet spelar stor roll. Sjön bör ju nämligen vara så beskaffad att sedimenten kan sjunka genom vattnet och lagras på varandra så ostört som möjligt och utan att lagren sedan omröres.[144]

Den ideala sjön ur denna aspekt bör vara relativt liten till ytan men i stället mycket djup och ha branta sidor som stupar ned mot bottnen så rakt som möjligt. Den bör vidare ha ett vindskyddat läge, flat botten samt sakna kraftigt markerat tillflöde resp. avtappning. Vattenomsättningen bör med andra ord vara så liten som möjligt. Vattnet nära bottnen bör vidare vara — och kan pga ovanstående förhållanden förväntas bli — syrefattigt, så att växt- och djurliv i denna del av sjön blir så litet och stillsamt som möjligt. Allt detta för att inte skiktningen av sedimenten skall störas. För att årsvarv skall uppstå räcker det emellertid inte med att sedimenten kan lagras på varandra ostört. De olika årens sedimentation måste dessutom i något avseende vara särskiljbara. Från varandra urskiljbara årsvarv kan uppstå då sedimenten är lämningar efter säsongsmässiga regelbundna växlingar i

---

141 Ovan under not 138 anförd litteratur har gett underlag för nedanstående beskrivning.

142 Se vidare härom nedan s. 88 ff.

143 Ett årsvarv kan dock utgöras av fler än två säsongsvarv t.ec. vår-, försommar-, sommar-, höst- och vintervarv. Variation i sedimenteringen **mellan** olika år är en förutsättning för att de årsvarviga sedimenten inte bara skall kunna användas i dateringssammanhang, utan även kunna bilda underlag för en undersökning av landskapsförändringar i närheten av sjön.

144 En förteckning över olika sjöar med årsvarviga sediment med angivande av deras geografiska läge, storlek, djup samt typ av årsvarv ges hos Saarnisto, s. 64.

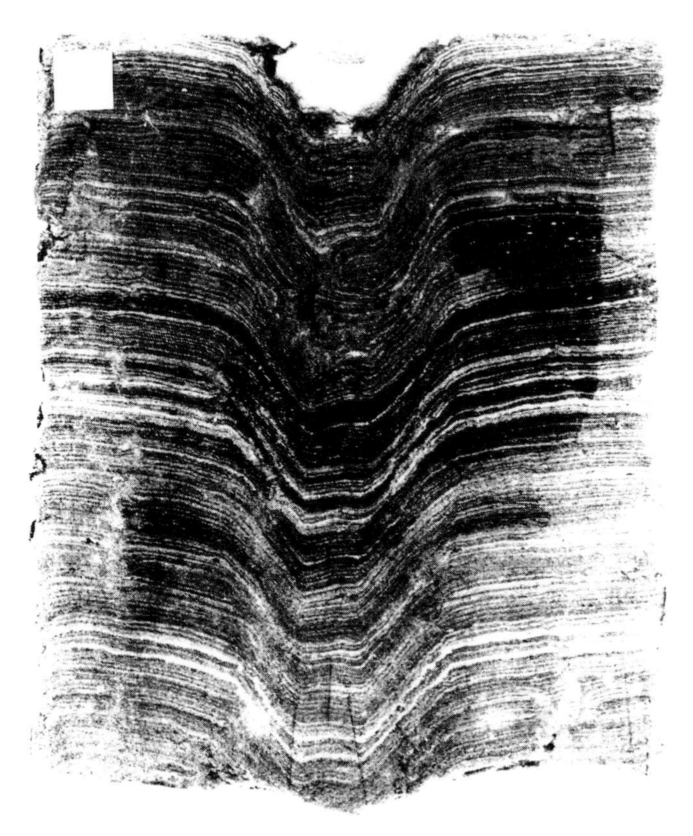

Fig 35. Fotografi av årsvarven (naturlig storlek) i en del av ett sedimentprov från Rudetjärn, Medelpad. Sedimentstörningen i bildens mitt har förorsakats av provinstrumentet. (Foto efter Renberg, Palaeoecology, s. 72).

— sjöns växt- och djurliv
— vattnets kemiska reaktioner
— inflödet av finkorniga mineralpartiklar.

Beroende på vilket av dessa förlopp som dominerar sedimenten varierar dessas utseende och tillika årsvarvens markering.

Säsongmässig variation i sedimenteringen av kiselalger[145]

Mikroskopiskt små kiselalger *(diatoméer, diatomacéer)* lever i sjöar, floder, åar, mossar och hav. De många olika arterna har växlande levnadssätt och uppehållsmiljöer, klimatberoenden och grad av anpassning till vattnets salthalt, surhetsgrad osv.

---

[145] Den nedan i texten omtalade sjön Lovojärvi i Finland har denna typ av årsvarv.

I sjöar där årstidernas växlingar medför t ex förändringar av vattentemperaturen kommer således förekomsten av sinsemellan olika temperaturkänsliga diatomacée-arter att variera under årets lopp. I dessa regelbundna variationer avspeglas årstidernas rytm. Även långsiktiga förändringar av livsbetingelserna i sjön kan på så sätt förmärkas t.ex. genom en diatomacée-arts totala försvinnande ur sjöns artbestånd. Såväl de årstidsbundna som de mer långsiktiga förändringarna kan avläsas i sedimenten genom att skeletten från dessa kiselalger ofta ingår som väsentliga delar av sjöns sedimentlager. Skeletten är mycket artkarakteristiska (se fig. 36) och vid mikroskopiering därför urskiljbara från varandra.[146]

På så sätt kan årsvarv under vissa omständigheter igenkännas i sedimentproppar där ljusa diatomacée-rika lager representerar försommaren och svarta humus-rika lager vintern. Diatomacée-förekomstens långvariga art- och intensitetsväxlingar i sedimentlagren kan långsiktigt tyda på klimatvariationer eller i varje fall på förändningar i den miljö som omger och påverkar sjöns vatten.

Utfällningar i vattnet

Visa sjöar får årsvarviga sediment genom att kalkspat utfälles och sedimenterar. I sedimentproppen representerar då de ljusa lagren den kalkspat som utfälles i det varma sommarvattnet medan vinterlagren är svarta och humusrika.

En mycket ovanlig form av årsvarviga sediment bildas då järnet i sjöns järnrika bottenvatten oxideras under vårens vattenomsättning i sjön. Dessa järnoxid-sediment bildar ljusa sedimentlager som går att särskilja från de mörkare lager som bildas under sommaren och vintern.

Variationer i sedimenteringen av små mineralpartiklar

Denna typ av årsvarviga sediment finns i flera undersökta sjöar i norra Skandinavien. Med vissa smärre variationer kan i dessa fall årsvarven sägas bestå av ett ljust, tjockt, mineralrikt sommarlager och ett tunt, mörkt vinterlager som innehåller mer organiska ämnen. De mineralrika lagren har bildats under vårens snösmältning och utgörs av material som från sjöns stränder och närmsta omgivning transporterats ned till vattnet av vårfloden. På detta sätt har årsvarven bildats i den nordligaste sjö i Norrlands kustland (Rudetjärn, Medelpad) som hittills undersökts ur denna aspekt.[147]

---

[146] För en kortfattad beskrivning av diatomacéeanalys se Rausing, s. 91—93. En utförligare beskrivning ges i R. W. Battarbee, Diatoms in lake sediments (Palaeohydrological...), s. 177—225.

[147] För närmare beskrivning av Rudetjärn—undersökningen, se Renberg, Palaeoecology, s. 63—91. Sedimenteringen och årsvarven behandlas speciellt på s. 72 ff.

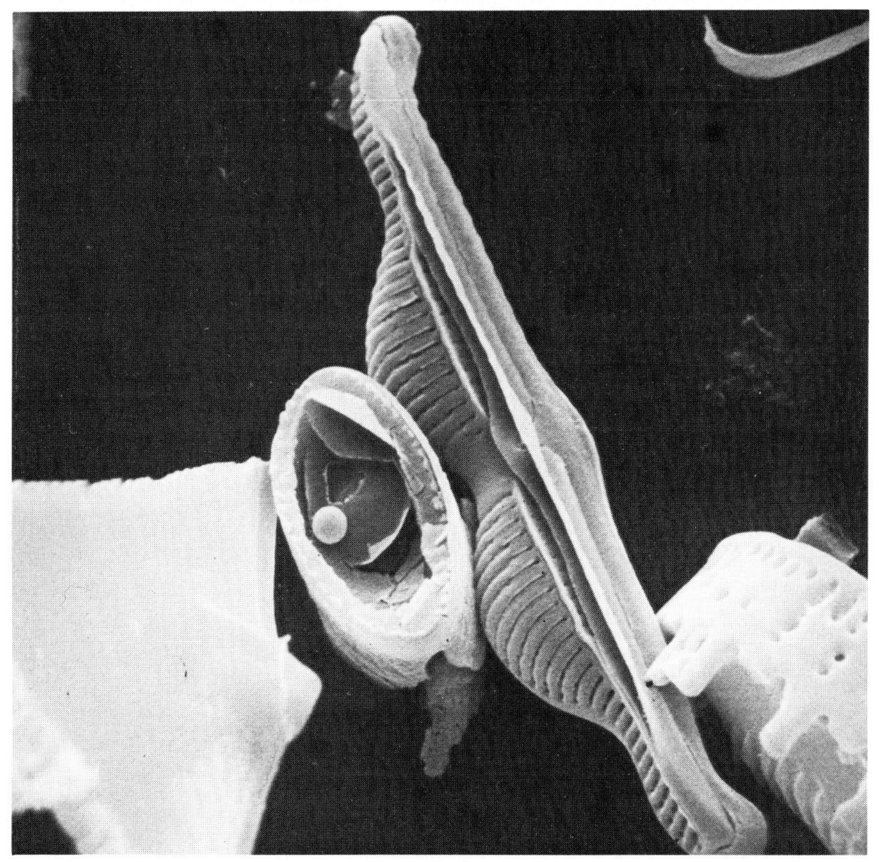

Fig 36. Exempel på olika typer av kiselalger. Här i över 4000 ggr förstoring. Foto: Mervi Hjelmroos.

METOD[148]

Provtagningen är förhållandevis enkel och kan utföras från båt eller vintertid genom isen. På senare tid används allt oftare en teknik som går ut på att sedimenten fryses innan de hämtas upp från bottnen till vattenytan.[149] Man använder härvid ett ihåligt metallföremål antingen i form av en tub eller flat låda. Metallföremålet är tillslutet i sin nedre ände av en spetsig plugg varvid en blytyngd anbragts (se fig. 37). Föremålet fylles med ett frysmedel (torris etc.) och nedsänkes därefter i vattnet varvid det får falla fritt ned mot bottnen och

[148] Ovan under not 138 anförd litteratur har gett underlag för nedanstående beskrivning.

[149] Den här beskrivna frystekniska provtagningsmetoden går alltså ut på att frysa sedimentlagren *in situ* dvs. på plats. En annan frysteknisk metod går ut på att så snart proven hämtats upp till ytan frysa dessa med hjälp av flytande kväve. Den senare metoden är av mindre betydelse.

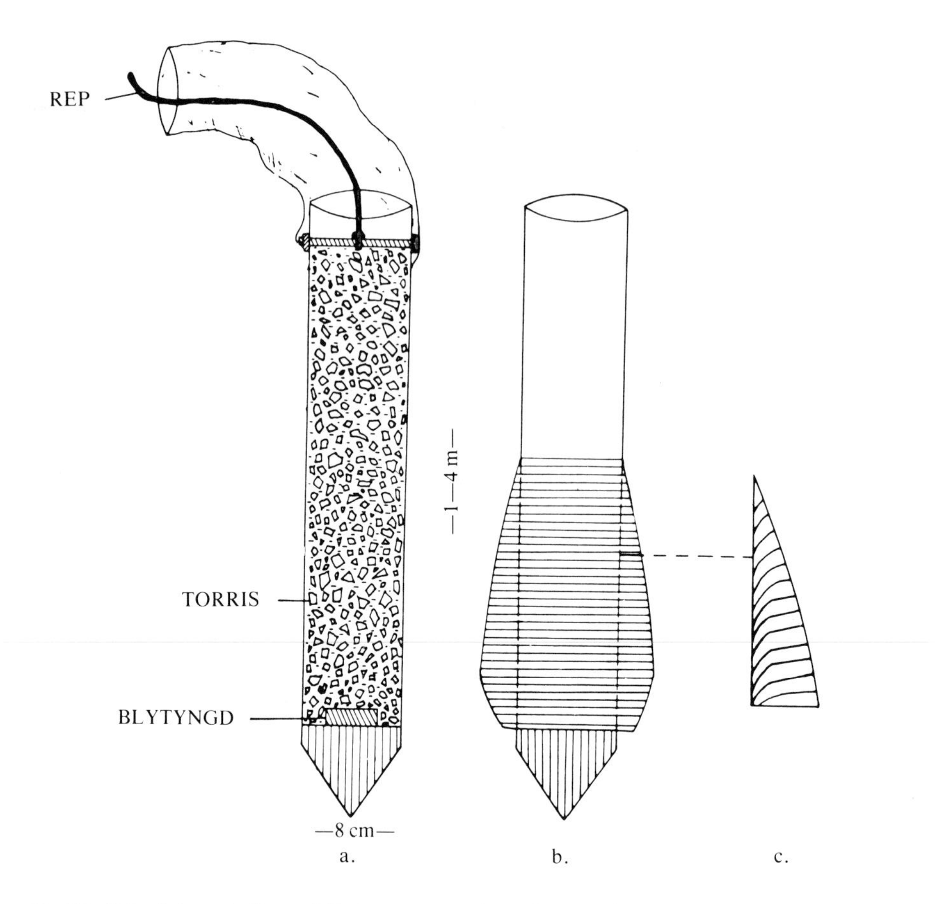

Fig 37. Skiss (icke naturlig storlek) över provtagningstub av torristyp.
a. Konstruktionen
b. Ett fryst prov och dess ideala form.
c. närmast provinstrumentets vägg blir sedimentprovet stört (jfr fig 35). (efter Saarnisto, s. 67)

tränger därvid in i bottnens sedimentlager. Efter 10—15 minuter har ett drygt centimetertjockt sedimentskikt frysit fast på föremålets utsida, varefter det med hjälp av ett rep hämtas upp till ytan.

Skall efterarbetet sedan i sin helhet utföras i laboratoriet svepes tuben in i plast- och aluminiumfolie för att skyddas mot oxidation och uttorkning samt i tidningspapper för att den ej skall tina upp.

Denna frysteknik vid provtagningen bereder många fördelar. Som så ofta i samband med undersökningsmetoder, som har sin utgångspunkt i fältarbete med provtagning, möter redan i underökningens inledande stadium ett stort

[150] Beträffande detta problem se även avsnittet om kol 14-metoden (s. 10 ff) samt avsnittet om pollenanalys (s. 21 ff). Liknande problem är ju också aktuella vid alla arkeologiska utgrävningar.

problem, nämligen att få ett prov som är så representativt som möjligt för det som skall undersökas. I många fall består problemet i att själva provtagningen inte får störa stratigrafin dvs lagerföljden i jord- eller sedimentmassorna.[150] Frystekniken hindrar så t.ex. den gas som finns i sedimenten att formas till bubblor och därigenom förstöra de fina sedimentlagren.

Vid provtagning med traditionell metod (regelrätta proppar) i en finsk sjö (Lovojärvi) gav vidare provet ingen antydan om att sedimenten skulle vara årsvarviga. Sedan förnyad provtagning företagits med hjälp av frysteknik erhölls ostörda sedimentprover som visade tydliga varv, även från de övre lättstörda sedimentlagren.[151] Eftersom varvens tjocklek kan variera från någon tiondels millimeter till flera millimeter (t.ex. Rudetjärn) framstår det ju som en självklarhet att undersökningens framgång helt och hållet vilar på om sedimentens lagerföljd kan behållas orörd vid provtagningen.

En mera svårgripbar felkälla uppstår då vid själva sedimentationen större och tyngre partiklar tränger ned till lager som ligger under det, där de egentligen ''hör hemma''. Det inträffar speciellt med vissa pollen. Vid laboratoriearbetet med provet kan denna felkälla delvis hållas under kontroll genom skärpt uppmärksamhet vid undersökningen av de olika lagren.

Det använda metallföremålets utseende och storlek måste naturligtvis utformas med hänsyn till vilken typ av sediment det skall användas i samband med. T.ex. är det avgörande hur hårt packade de är. I den ovannämnda finska sjön fanns ett 5 meter tjockt lager organiskt sediment. Det härifrån tagna provet var 1,6 meter och representerade då 600 år. I en annan finsk sjö (Valkiajärvi) trängde en 4 meter lång, knappt decimetertjock tub ned 2,3 meter i sedimenten. Detta prov representerade då 7.300 år, eftersom sedimentlagren i det senare fallet i medeltal var tunnare än i det förra fallet.

Vi antar emellertid att själva provtagningen kunnat föras till ett lyckosamt slut, varefter vidtar den egentliga undersökningen av sedimentprovet.

Det svåraste och mest tidsödande momentet härvid är själva varvräknandet.[152] Under mycket gynnsamma omständigheter kan detta ske redan i fält men företages ofta i laboratoriet.

Om provet fortfarande sitter kvar på provtagningsdonet utbytes frysmedlet mot varmt vatten varefter provet kan frigöras.

Det enklaste sättet att dokumentera provet och dess lagerstruktur är ofta att fotografera det, ibland med röntgen. Röntgenfotografering av ofrysta eller

---

[151] Lovojärvi-undersökningen finns utförligt beskriven i Saarnisto — Huttunen — Tolonen, s. 35—45.

[152] Varven räknas ofta minst tre gånger, merendels av olika personer. Årsvarvens antal anges med en felmarginal av ± 100. Så är det t.ex. 4.360 (± 100) varv i sedimenten från Rudetjärn (Renberg, Palaeoecology, s. 77). Det allra översta sedimentlagret är ofta mycket otydligt årsvarvat eller inte alls. Det tidsomfång det representerar måste då uppskattas mot bakgrund av vad som är känt om sedimentationshastigheten i övriga delar av provet. I fallet Rudetjärn uppskattades denna översta del av provet representera 300 år, varför hela provet kom att representera 4.660 (± 100) år (ibidem).

upptinade prover kan ibland göra det möjligt att upptäcka och räkna årsvarv där så ej i annat fall varit möjligt. Speciellt gäller detta årsvarv som utgörs av mycket tunna lager. Om lagren är över en halv millimeter tjocka är det i regel ganska lätt att räkna dem direkt från provet. Ytorna på det frysta provet har då först skrapats rena. Tunna skikt skäres sedan loss från provet för att användas vid mikroskopering etc. Därvid urskiljes och artbestämmes sedimentlagrens innehåll såsom t.ex. olika organiska lämningar som diatomacéer, pollen osv.

För att underlätta vissa typer av undersökningar kan det visa sig fördelaktigt att gjuta in provet i vax, varvid det även kommer att skyddas mot uttorkning och förstörelse. Sedan undersökningsmaterial tagits från provet kan nämligen detta ''arkiveras'', vanligtvis genom förvaring i frysutrymme. Rätt behandlat kan ett sedimentprov bevaras i flera år och ånyo tas fram för undersökning närhelst det är påkallat.

TILLÄMPNING

Som framgått ovan ger studium av årsvarviga sediment i en sjö möjlighet att spåra och datera miljöförändringar i sjön och dess omgivningar. Även tillfälliga och svaga tecken på mänsklig aktivitet kan avläsas då de regelbundet förekommer i sedimenten.[153]

Variationer i lagrens tjocklek avspeglar förändringar i *erosionen* (dvs avnötning, avspolning och borttransport av de yttersta jordlagren) av sjöstränder och sjöns närmsta omgivningar. Dessa förändringar kan i sin tur ställas i samband med förändringar inom den agrikulturella verksamheten dvs. huvudsakligen jordbruket eller också bero på klimatvariationer.

Tidigare har påpekats hur miljöförändringar kan utläsas ur diatomacéearternas växlingar.

I en sjö med tydlig årsvarvig sedimentering är dessutom omständigheterna gynnsamma för att *makrofossiler* dvs. för ögat synbara lämningar efter t.ex. växter, insekter och fiskar skall ha bevarats. Dessa kan ge ytterligare upplysning om livsbetingelserna i sjön och dess omgivning samt dessas förändringar.

De årsvarviga sedimenten erbjuder framförallt mycket goda möjligheter att tidfästa de iakttagna förändringarna av t.ex. den mänskliga aktiviteten. Dessa möjligheter är fullt jämförbara med och i vissa avseenden överlägsna de som ges vid ett studium av trädens årsringar. Den tidsskala som aktualiseras är på samma gång vittomspännande som precis, och den kan anknytas till nutiden.

---

[153] Förutom ovan under not 138 anförd litteratur har även T o l o n e n, Vittnesbörd, s. 29—45 samt Kimmo T o l o n e n — Veijo S a l o h e i m o — Pertti H u t t u n e n, Paleoekologi och odlingshistorisk forskning (Historisk tidskrift för Finland 1977/4), s. 386—396 spec. s. 387 ff bildat underlag för redovisningen av nedanstående resultat.

Således kan en sjö (Lake of the Clouds, Minnesota, USA) ha årsvarv omfattande 9.500 år samtidigt som det i gynnsamma fall är möjligt att t.o.m. avläsa dygnsvariationer i sedimenteringen under senvåren.

Detta medför följaktligen att dateringsmetoden kan tillämpas vid behandling av problemställningar med vitt skilda tidsdimensioner. Förhållandevis nyligen inträffade kortvariga förändringar kan dateras lika väl som i tiden mer avlägset liggande långsamma förändringsförlopp som t.ex. sjöns *isoleringsstadium* dvs. den period då sjön genom landhöjningen avsnörts från det hav eller vattendrag varav det en gång varit en del.[154]

Genom att sedimentproven även kan användas för pollenanalys eller andra typer av undersökningar t.ex. av *paleolimnologisk* art (dvs. av sjöns forntida vattenkaraktär) kan de därvid vunna resultaten också exakt dateras. Genom räkning av årsvarv i sedimenten från sjön Laukunlampi i östra Finland har på så sätt förekomst av odlingspollen och andra spår efter mänsklig verksamhet kunnat dateras med bara några få års precision.[155]

Ytterligare exempel kan ges från den omfattande undersökningen av sedimenten från sjön Lovijärvi i mellersta Finland.[156] Sjön har alldeles uppenbart förorenats på ett tidigt stadium som en följd av alltför intensiv rötning av lin och hampa i sjön under järnåldern. Detta har man kunnat sluta sig till med utgångspunkt från de tecken på dramatiska förändringar i sjöns växt- och djurvärld som lagerföljdens sammansättning ger besked om. I sammanhanget kan nämnas att sedimenten här undersökts med tjugo olika slags metoder, varvid vissa nivåer av sedimenten har detaljgranskats.

Den klart lägsta sedimentationen har uppmätts för en nivå representerande perioden 1576—1595, under vilken det enligt skriftligt källmaterial inföll flera allvarliga missväxtår.

På liknande sätt kan en nedgång i sedimentationen konstatera för åren mellan 1826—1876 med speciell markering för år 1867. Från denna tid rapporteras flera allvarliga kallperioder där 1867 innebar ett av de värsta missväxtåren i Finland i historisk tid. Sambandet mellan kallperioder, missväxtår och låg sedimentation är inte svårförklarligt. Kalla år ligger isen på sjön längre samtidigt som växtsäsongen blir kortare. Produktionen av sediment blir därmed lägre och sker under kortare tid, vilket i sin tur medför lägre sedimentation. Det tjockaste årsvarvet och därmed den högsta sedimentationen representerar år 1940—41, då stora röjningsarbeten företogs i samband med torrläggningen av en närbelägen sjö. Ett vägbygge i sjöns närhet 1967 avspeglas likaså i att sedimentationen detta år ökar, och dessutom blir av en speciell typ.

---

154 På så sätt har undersökningen av Rudetjärn bidragit med en bit till upprättandet av ett landhöjningsdiagram för Medelpad.

155 Se J. Vuorinen, opubl. manus refererat hos Tolonen, Vittnesbörd, s. 37.

156 Förutom i not 151 anförd litteratur se även Tolonen—Saloheimo—Huttunen, s. 387 ff.

Förutom att på så sätt kontrollera de vunna resultaten och metodens tillförlitlighet med uppgifter i skriftligt källmaterial kan de jämföras med resultat av sedimentundersökningar från andra närbelägna sjöar. Lagerföljden i sedimenten är nämligen lika karakteristisk som trädens årsringar. Prover från närbelägna sjöar eller från olika ställen i samma sjö kan därför passas in i varandra på samma sätt som nedan beskrivits beträffande trädens årsringsserier. Dessutom kan resultat som nåtts med dessa helt olika metoder jämföras med varandra.

Så har sedimentationshastigheten i Lovojärvi varit låg under perioden 1760—1780. Trädringsstudier på gran i området tyder också på låg tillväxt under dessa år.

Liknande samvariationer kan påträffas vid andra jämförelser. Så finns det tidsmässigt samband mellan år med låg sedimentation och år då glaciärerna i norra Sverige gjort framryckningar. Variationer i sedimentationshastigheten tycks således inte enbart bero på lokala omständigheter utan även på mer regionala. Ett studium av de individuella årsvarvens tjocklek och deras minerala och organiska innehåll kan således inte enbart ge information om lokalklimatets korttidsvariationer utan även om mer allmänna klimatförändringar.

Tillämpningen av årsvarvskronologin ger vidare metodiska vinster som även kan nyttjas i samband med andra här diskuterade undersökningsmetoder som pollenanalys. Speciellt gäller detta vid bestämningen av den årliga sedimentationshastigheten och därmed dateringen av de olika nivåerna i provet. Ofta har detta gjorts och görs genom att ett antal kol 14-dateringar företas av material från olika nivåer i provet. Dessa dateringar behöver inte bli direkt felaktiga, men kan aldrig bli precisa, och därmed får resultaten en begränsad räckvidd, till vilken problemställningarnas karaktär måste anpassas. En noggrann bestämning av den årliga sedimentationshastigheten och därmed exakt datering av provets olika nivåer kan endast göras genom absoluta mätningar av årsvarven.[157] Saknas denna senare möjlighet är det mycket lätt att olika pollens förekomst feldateras i det fall man utgår ifrån att sedimentationen varit jämn. I sådana sammanhang medför alltför detaljerade undersökningar stora riskmoment medan frågeställningar med grov tidsförankring ofta kan besvaras.

---

[157] I Rudetjärn-undersökningen har kol 14-dateringar gjorts på material från fyra olika nivåer i provet. Dessa dateringar är alla äldre än de dateringar som nåtts på basis av årsvarvsräkning. Skillnaderna blir mindre ju högre upp i provet man kommer och kan hänföras till speciella omständigheter i samband med kol 14-metodens tillämpning här. Se Renberg, Palaeoecology, s. 77 ff och Ingrid U. Olsson, A discussion of the C^{14} ages of samples from Medelpad, Sweden (Early Norrland 11. Motala 1978), s. 93—97. Fallet åskådliggör dock den anförda metodiska komplikationen.

SAMMANFATTNING

Sammanfattningsvis ger således ett studium av årsvarviga sjösediment möjligheter till undersökningar inom en rad olika problemområden och att exakt datera de därvid vunna resultaten såsom t.ex. beträffande

1) De förutvarande miljöförhållandena och dessas förändringar (dvs. *paleoekologin).* I detta sammanhang kan även beaktas effekter på den nutida miljön av luftföroreningar, modernt skogsbruk etc.
2) Det förutvarande klimatet och dess förändringar (dvs. *paleoklimatologin).*
3) Sjöarnas förutvarande vattenkaraktär och dess skiftningar (dvs. *paleolimnologin).*
4) Sedimentens bildning, blandning och spridning.
5) Kontroll och förfining av andra undersöknings- och dateringsmetoder som pollenanalys, kol 14-datering etc.[158]

Tyvärr saknas det fortfarande undersökningar av årsvarviga sediment från sjöar inom det område som här i första hand är av intresse, dvs. Övre Norrlands kustland. Detta är naturligtvis beklagligt ur bl.a. bebyggelsehistorisk synpunkt. De yttre betingelserna ger anledning förmoda att många sjöar inom området har årsvarviga sediment. Sjöar som är täckta av is stor del av året får nämligen den regelbundna växling i sedimentationen som är en av förutsättningarna för uppkomsten av årsvarviga sediment. Sådana torde således förekomma i Iso-Mustajärvi, en av de sjöar i Tornedalen som varit provlokal i samband med undersökningen av forntida pollenförekomst.[159] Provtagning i sjöns sediment skedde då i avsikt att ge underlag för pollenundersökningen. Det fanns då inte någon problemställning som aktualiserade en närmare undersökning av huruvida sedimenten var ärsvarviga eller ej, och proven behandlades därför ej heller på vederbörligt sätt inför en sådan undersökning. Dessutom, och kanske framför allt, var de ovan beskrivna metoderna i samband med sådana undersökningar ännu inte helt utvecklade och spridda vid den tidpunkt då den aktuella provtagningen skedde.

Denna snabba metodutveckling och de nya problemställningar som framkommit vid samarbetet mellan paleoekologer, arkeologer och historiker har aktualiserat förnyade provtagningar i Tornedalen. Sedimenten kommer därvid att undersökas enligt de här ovan skisserade linjerna. Det är detta som har motiverat att här förhållandevis utförligt diskutera undersökningsmetodens möjligheter. Dock skall i sammanhanget poängteras att även undersökningsresultat gällande sjöar som ligger *utanför* området kan vara av betydelse då den allmänna utvecklingen *inom* området diskuteras, t ex beträffande det förutvarande klimatet och dess förändringar.

---

[158] Kol 14-kronologins huvuddrag har således kontrollerats med hjälp av lervarvskronologi (Lake of the Clouds, Minnesota, USA) på samma sätt som tidigare gjorts med utgångspunkt från dendrokronologi.

[159] Muntl. medd. Mervi Hjelmroos t.förf. För undersökningen av sjön ur andra aspekter se ovan avsnittet om pollenanalys samt där anförd litteratur av Hjelmroos.

Analys av trädens årsringar

INLEDNING

Ett stamtvärsnitt genom en del trädslag, framförallt tall och ek, uppvisar ett karakteristiskt mönster av regelbunden växling mellan ljusa och mörka ringar. Det är en sedan länge allmänt omfattad insikt att man skulle kunna avläsa trädens ålder genom att parvis räkna dessa ringar. Man har även vetat att vidden på årsringarna har samband med årsväxtens omfattning.

Redan Linné skickade ut sina lärjungar att räkna årsringar på öländska ekstubbar. Utifrån deras rapporter gjorde han sedan iakttagelser inte bara om trädens ålder utan även om tillväxtskiktens varierande tjocklek, där vissa års representerade kraftigare tillväxt än andra.[160]

Liknande allmänna kunskaper systematiserades mot slutet av 1920-talet av den amerikanske astronomen A. E. Douglass.[161] Hans ursprungliga forskningsproblem var att söka samband mellan solfläckarnas cykliska förlopp och klimatets variationer. Han kom härvid att studera trädens årsringar och fann samband mellan dessas varierande bredd och nederbördens årsvariation. Dessutom upptäckte han att årsringmönstret var detsamma för olika gamla träd inom samma område. Därmed var dendrokronologin i egentlig bemärkelse uppfunnen. När dessa iakttagelser senare kunde kopplas till upptäckten att exemplar av en tallvariant i sydvästra USA, *Pinus longaeva* (bristlecone pine), kunde bli upp till 4.000 år gammal, innebar det en revolution för dendrokronologins möjligheter. Inte bara levande exemplar av detta världens äldsta träd påträffades utan även välbevarade döda träd som visade sig ha dött för över 1.000 år sedan. På så sätt har man nu för detta område kunnat upprätta en årsringserie som sträcker sig över 7.000 år tillbaka i tiden. Detta har fått stor betydelse inte minst för kontroll av *C 14*-dateringar världen över.[162]

I Europa har Västtyskland fr.o.m. slutet av 1960-talet intagit en ledande ställning, vilket bl.a. sydsvensk dendrokronologi kunnat dra nytta av.[163] Intresset i Sverige har kommit först i och med stadsgrävningarna (Lund, Lödöse, Skara, Söderköping, Uppsala, Enköping etc) under 60- och framförallt 70-talet. Det är de våta lagren i dessa medeltidsstäder som bevarat träföremål på ett sådant sätt och i sådan mängd att dendrokronologisk metod

---

[160] Se vidare Alf Bråthen, Tidsbestämning i västra Sverige med hjälp av årsringar på ek (Fornvännen 1977/1), s. 28.

[161] För nedanstående se Renfrew, s. 615—623 samt Th. Seip Bartholin, Träden växer med tiden (Forskning och Framsteg 1980/7), s. 26—32.

[162] Se ovan s. 17 ff.

[163] Se Bartholin, Träden, s. 29 f; samt Th. Seip Bartholin, Alvastra pile dwelling: Tree studies. The dating and the landscape. Preliminary results (Fornvännen 1978/4), s. 26 f; se även nedan s. ??.

är möjlig att tillämpa med utsikt om att nå fram till en absolut datering.

Medan svensk forskning på detta område således är nybörjare finns det större svenska erfarenheter inom *dendroekologin* (den vetenskap som utnyttjar årsringar för att studera ekologiska problem). Vid Skogshögskolan har man i mer än 50 år använt årsringsanalys för tillväxtberäkning och för att få information om hur skogen svarar på åtgärder som gallring, gödsling etc.[164] Sådan dendroekologisk analys har kopplats till dendrokronologiska iakttagelser och på så sätt kunnat utföras i ett lång tidsperspektiv. Denna forskningsinriktning har på senare år intensifierats framförallt inom en del norrländska undersökningsområden (se nedan).

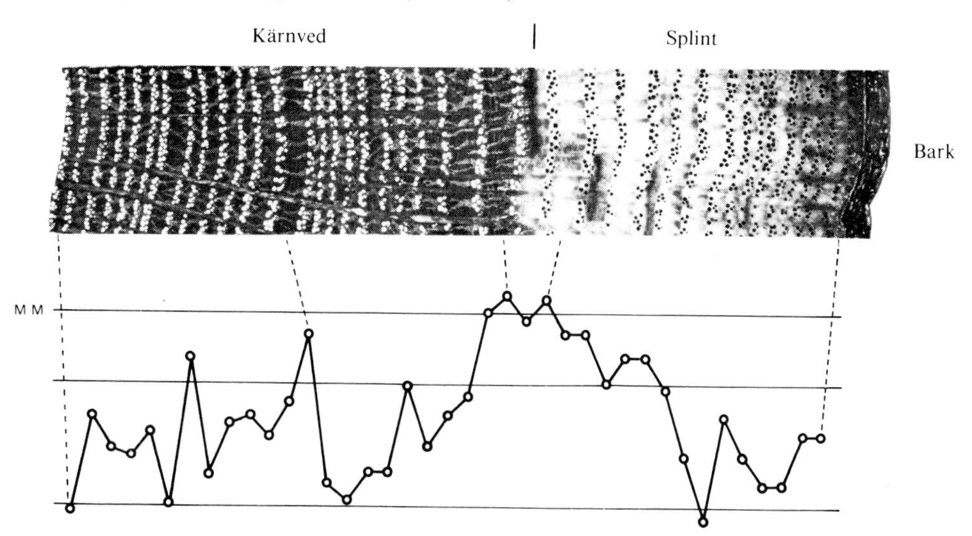

Fig 38. Utsnitt av en ekstam med tillhörande kurva över årsringbredden. (efter Bartholin, Dendrokronologi, s. 3).

PRINCIP

Här ovan har dendrokronologins två grundförutsättningar angivits nämligen trädringarnas markerade årstillväxt och årsvisa breddvariation. Dessa förutsättningar uppfylls långtifrån av alla trädslag och i alla uppväxtmiljöer.[165]

---

164 Göran Tegnér, Svensk dendrokronologi 1976 (Fornvännen 1977/1), s. 25.

165 Faktainnehållet i nedanstående redogörelse för den dendrokronologiska metoden bygger framförallt på följande litteratur: Th. Seip Bartholin, Dendrokronologi en ny naturvidenskab i arkaeologiens tjänste. Metode og resultat (Ale 1975/2), s. 1—17; André Munaut, Dendrochronology applied to palaeoecological and palaeohydrological research (Palaeohydrological...), s. 81—98; Lars Löfstrand, Årsdatering av trä (dentrokronologi). Senmedeltid i Västergötland (Västergötlands fornminnesförenings tidskrift 1979—1980), s. 157—168: Olle Zackrisson, Skogsvegetationen vid stranden av Storvindeln under 200 år (Svensk Botanisk Tidskrift 1978/3), s. 208 f.

I våra klimatförhållanden avbryts trädens tillväxt regelbundet och säsongsvis av vinterns stagnationsperiod. Utan olikheten mellan vårved och höstved vore det ändock inte möjligt att urskilja årsringar.

En del av våra lövträd som t. ex. bok och lönn har tillväxtskikt som byggs upp jämnt under hela växtsäsongen. Årsringen kan därför vara oerhört svår att upptäcka eller saknas helt.

Hos barrträden är de ljusa ringarna vårveden som representerar vårens och försommarens tillväxtskikt. De mörka ringarna är varje års höstved med de mer tjockväggiga celler som avsättes under högsommaren och hösten.

Ekens årsringar kan urskiljas genom vårvedens mycket stora celler i förhållande till höstvedens betydligt mindre.

Av de nordiska trädslagen är det sålunda framförallt ek och tall, samt i viss mån gran, som genom sitt tillväxtsätt är mest lämpade för dendrokronologisk bestämning.

Årsringarnas bredd bestäms av olika yttre och inre tillväxtfaktorer. De förra utgörs av t.ex. temperatur, nederbörd, näringstillförsel, trädtäthet (med trädens inbördes konkurrens om dessa tillgångar) osv. De inre faktorerna är bl.a. fröproduktion, mekaniska skador (brand, mänsklig verksamhet etc.), svampangrepp osv.

Under år med gynnsamma tillväxtförhållanden bildas breda årsringar, medan år med sämre förhållanden ger smalare årsringar. Trädets skiftande uppväxt- och levnadsförhållanden lagras på så sätt i dess ''minne'' i form av årsringarnas varierande bredd. Detta ''minne'' finns kvar så länge trädet bevaras, levande eller dött.

De inre faktorerna är lokalt bundna medan de yttre mestadels är regionalt bundna. Det senare innebär att en regionalt bunden faktor förändras samtidigt inom en hel region. Trädringarnas utformning och inbördes förhållande bestäms till allra övervägande delen av regionalt verkande faktorer som t.ex. klimatet. Detta innebär att olika trädindivider av samma trädslag, vilka vuxit upp samtidigt i samma region, kommer att få samma ''minne'' av sin uppväxtmiljö. Detta framgår av figur 39. För två exemplar av tall har där årsringarnas inbördes breddförhållande, varje träds ''minne'', grafiskt framställts i form av ett kurvdiagram.

Fig 39. ''Tillväxtminnet'' dvs årsringbredden hos två tallar som vuxit samtidigt inom samma område. (ur Munaut, s. 81).

Träd från olika generationer, men av samma trädslag och som växt inom samma region kommer vidare, om de har någon del av sin levnad gemensam, att ''minnas'' denna gemensamma tid på samma sätt. Överlappningen av trädens årsringsminne är således den länk som förenar i tiden utspridda årsringserier till en lång sammanhängande s.k. *standardserie eller grundserie.* Denna kan i princip spänna över hur lång tidsperiod som helst. Inpassningen av årsringserier från olika generationer träd (= *crossdating*) är dendrokronologins grundläggande princip. Grafiskt framgår den av figur 40.

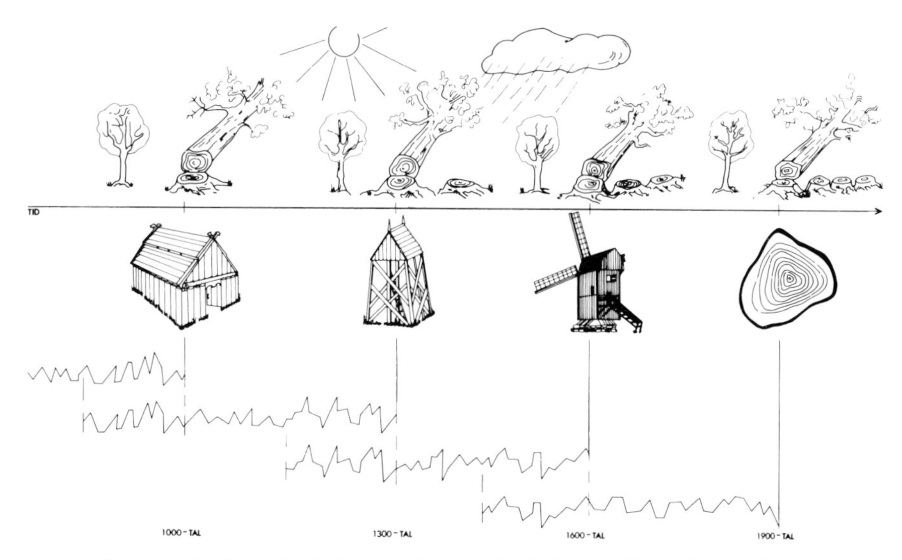

Fig 40. ''Crossdating'' — dendrokronologins grundprincip. (ur Bartholin, Dendrokronologi, s. 4).

METOD

Dendrokronologisk bestämning kan göras på såväl levande som dött trä. I det senare fallet måste årsringarna givetvis vara välbevarade. Provtagning på levande bestånd inleds mestadels med en noggrann bestämning av trädens uppväxtmiljö, mätning av kronan och trädets diameter i brösthöjd — allt faktorer som har betydelse framförallt vid en dendroekologisk analys.

Därefter sker själva provtagningen. Det ideala provet är om en c:a 5—10 m.m. tjock skiva rakt igenom trädet kan erhållas.[166] Eftersom denna metod förstör ett levande träd tas i de flesta fall i stället en tunn borrpropp ut ur trädet.

---

[166] Ett trädprov behandlas som vilket annat fynd som helst, dvs. det konserveras och arkiveras. Inför framtida behov vid C 14-datering, isotopanalys etc. är det viktigt att ta prover av god kvalitet i tillräckliga mängder.

Provtagning på dött, oelastiskt trä sker på ungefär samma sätt. Sedan provet putsats avläses årsringsmönstret under lupp och med mikrometer som tillåter en noggrannhet ned till 0.01 mm.[167] Varje uppmätt trädstamdiameter utgör en serie. Sådan mätning kan utföras halvautomatiskt och mätenheten kopplas då till en dator som uppställer *medelserier* för prover från flera träd inom ett område (se fig. 41).

Sedan görs korrelationsberäkning för att hitta bästa passningen mellan serier från olika generationer träd (vilket grafiskt åskådliggjordes i fig. 40). Härigenom kan en s.k. standardserie/standardkurva upprättas.

Överlappningen måste utgöras av minst 50 och helst 100 årsringar för att passningen skall kunna säkerställas med mycket stor säkerhet. De erhållna grundserierna måste vidare basera sig på prover från ett stort antal träd från varje tidsperiod. Generellt gäller att resultaten blir säkrare ju fler prover man har från en region av samtidiga träd med olika uppväxtmiljöer. Därigenom kan de lokala tillväxtfaktorernas roll för årsringsbredden lättare kontrolleras. En på så sätt erhållen standardkurva eller grundserie har giltighet tiotals mil från det område där provtagningen skett.[168]

FELKÄLLOR

De på årsringsanalys grundade metoderna är givetvis som de flesta vetenskapliga arbetsmetoder vidhäftade med vissa begränsningar, felkällor om man så vill.[169]

Tidigare har farhågor rests inför den dendrokronologiska metodens användbarhet i bebyggelsehistoriska sammanhang.[170] Speciellt har man tvekat inför metodens möjligheter att belysa klimatets variationer som är en betydelsefull faktor vid bebyggelselokalisering i jordbrukssamhällen.

De flesta av dessa reservationer saknade givetvis inte grund då de formulerades men ter sig i ljuset av de senaste årens forskning som betydligt överdrivna för att inte säga överspelade. Detta är en direkt följd av den oerhört snabba metodutvvcklingen inom på naturvetenskap grundade arbetsmetoder.[171]

En oundgänglig metodisk komplikation vid provtagning i dött trä är dock

---

[167] Då träet är mycket välbevarat är det möjligt att fastställa årsringens celltäthet med hjälp av röntgen. Härigenom erhålles ett ytterst detaljerat underlag för kronologisk och ekologisk analys av årsringen. Se Munaut, s. 86.

[168] Bråthen, s. 28; se även Bartholin, Dendrokronologi, s. 1—17. Detta exemplifieras ju av att den sydsvenska kronologin kunnat kopplas till Hedeby-kronologin, se ovan i not 163 anf. litteratur.

[169] Se vidare den diskussion som tidigare förts i inledningen s. 7 ff.

[170] Se t.ex. Sandnes, s. 386 ff; se även Halvard Bjørkvik & Audun Dybdahl, Øydegardar og øydegardsgranskning i Noreg (Nasjonale forskningsoversikter. Det Nordiske Ødegårdsprojekt. Publikasjon nr 1. Aarhus 1972), s. 182 f.

[171] Se t.ex. Tolonen, Vittnesbörd, s. 29—45.

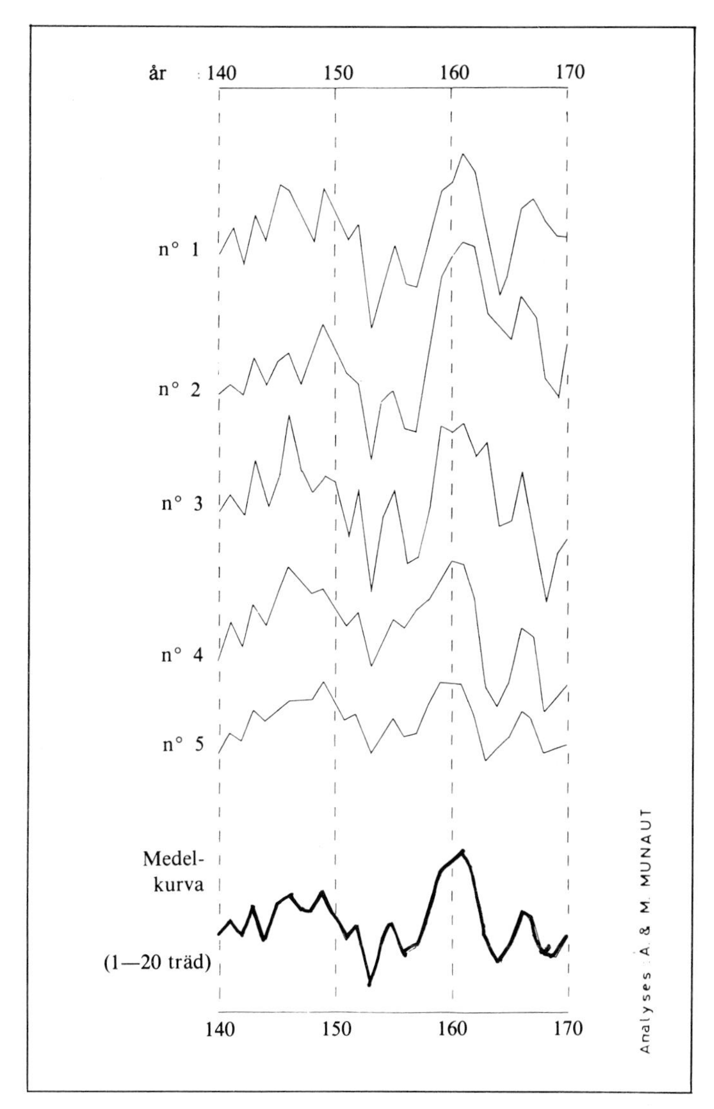

Fig 41. Individuella årsringsserier (1—5) för fem olika träd (tall) som vuxit samtidigt inom samma område samt en medelkurva baserad på prov från tjugo träd. Observera hur liten den individuella avvikelsen är i förhållande till den för området genomsnittliga. (ur Munaut, s. 89)

att man med dendrokronologisk metod endast får veta trädets avverkningsår/dödsår.[172] Man får således inte direkt någon datering på den artefakt eller byggnadslämning ur vilket provet tas. Detta metodiska problem blir naturligtvs ännu mer uttalat då trä ibland kan ha återanvänts. Delvis kan dock dessa dateringssvårigheter bemästras genom att man av andra skäl (stratigrafiska, typologiska osv.) kan begränsa antalet möjliga dateringar.

[172] För utförligare resonemang se Bartholin, Dendrokronologi, s. 3 f.

Fig 42. En inblick in i det rikhaltiga dendrokronologiska/-ekologiska arkiv som täcker större delen av vårt undersökningsområde. Ur Bildarkivet, Norrbottens Museum.

TILLÄMPNING

Vid framtagandet av Alvastra pålbyggnad (en anläggning från yngre stenåldern) har tillämpningen av dendrokronologisk metod gett en hel mängd svar på olika problem, framförallt frågan om under hur lång tid anläggningen använts.[173] Det senare har skett genom upprättande av s.k. *flytande serie* dvs. årsringsserien har inte kunnat länkas till en serie med nutidsanknytning varför en abslut kronologi ej varit möjlig.

I Sverige har den dendrokronologiska metoden i övrigt dock främst använts i samband med stadsgrävningar.

Arbete pågår sålunda för tillfället med att upprätta pålitliga grundserier från Skåne, Mälardalen och västra Sverige (Lödöse osv.).[174] I Skåne kunde man på ett tidigt stadium anknyta till en västtysk grundserie upprättad för Hedeby-trakten, vilken inneburit att det nu för Skåne finns en grundserie för tiden 578—1980.[175] Åtskilliga skånska kyrkor och slott har därmed kunnat exakt dateras.

Norrland

Som ovan nämnts är tallen jämte ek det av våra trädslag som bäst lämpar sig för årsringsanalys. Norrland är mycket rikt på detta undersökningsmaterial.[176] Det är ingen ovanlighet att här hitta levande träd som är 600—700 år gamla dvs. de täcker hela den historiska epoken. Det är till och med möjligt att hitta enstaka tallexemplar som är över 1.000 år gamla.[177]

Även torrakor (dvs. döda träd som står kvar på rot i skogen), kolade stubbar och andra döda träd kan användas för årsringsanalys. Förutsättningen är förstås att årsringarna är välbevarade. Kolade torrakor har visat sig ha kvar årsringarna ännu 200—300 år efter sin död, medan gynnsamma bevaringsomständigheter stundtals har visat att liggande tallar kan ha välbevarad ved trots att de dog för 1.000 år sedan. Vid en kombination av dessa olika omständigheter har det genom ''cross-dating'' (se fig. 43) varit möjligt

---

[173] Om detta se vidare i Bartholin, Alvastra, s. 213—219; samt även Mats P. Malmer, Forskningsprojektet Alvastra pålbyggnad (Fornvännen 1978/3), s. 149—157.

[174] Se Tegners, Bartholins, Bråthens samt Löfstrands resp. artiklar i Fornvännen 1977/1.

[175] Se Bartholin, Alvastra, s. 26 f; samt Bartholin, Träden, s. 29 ff.

[176] Nedanstående framställning bygger på där anförda arbeten av. O. Zackrisson.

[177] Olle Zackrisson, Dendrokronologiska metoder att spåra tidigare kulturinflytande i den norrländska barrskogen (Fornvännen 1979/4), s. 259 f; samt Olle Zackrisson, Att läsa historia i skogen (Skogsägaren 1977/5), s. 16 ff. Som jämförelse kan nämnas att Skånes äldsta, levande väsen, den s.k. Fulltofta-eken beräknas vara knappt 450 år. En del norrländska tallar är således mer än dubbelt så gamla.

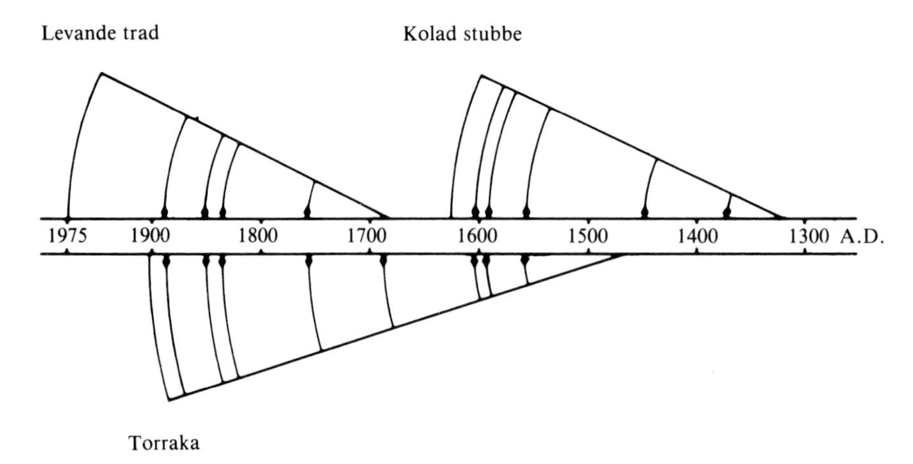

Fig 43. Exempel på "crossdating" genom en kombination av prover från levande och döda träd samt brandskador å dessa. Svarta punkter på tidsaxeln markerar brandår. (ur Zackrisson, Metoder, s. 25).

att upprätta årsringsserier som ger dateringsmöjligheter mer än tusen år tillbaka.[178]

Årsringsanalys av norrländska trädbestånd har hittills framförallt använts i dendroekologiska sammanhang.

Förutsättningen för att det skall vara möjligt att upprätta en dendrokronologisk grundserie är, som framgått ovan, att de regionala tillväxtfaktorerna som t.ex. klimatet dominerar över de lokala. Detta utesluter givetvis inte att de lokala tillväxtfaktorerna tidvis kan dominera för enskilda träd eller enstaka smärre trädbestånd, antingen i stimulerande eller hämmande riktning. Detta avspeglar sig då i det enskilda trädets årsringserie i form av punktvisa väsentliga avvikelser från den för regionen i övrigt "normala".

Detta förhållande, som skulle kunna ses som en metodisk komplikation, har i stället på ett fruktbart sätt utnyttjats vid undersökning av ekologiska förhållanden speciellt inom några områden i nuv. Västerbottens län.[179] Genom de typiska förändringar av trädens tillväxtskikt som skogsbränder förorsakar har en forskare, Olle Zackrisson, här lyckats upprätta lokala skogsbrand-

[178] Under den allra senaste tiden har den i dateringssammanhang förmodligen epokgörande upptäckten gjorts att sjösedimenten i vissa sjöar i norra Norden är årsvarviga. Dessa årsvarv kan avläsas på liknande sätt som trädens årsringar och ger motsvarande dateringsmöjligheter. Se mer härom s. 81 ff. Prover från träd som växer på stranden till sådana sjöar kan analyseras med dendrokronologisk metod. En kombination med sedimentanalys kan på så sätt ge ökad säkerhet åt lokalt upprättade kronologier. (Zackrisson, Historia).

[179] Förutsättningen är givetvis att man har ett tillräckligt stort antal prover som underlag för att kunna bedöma vad som är den för regionen "normala" utvecklingen.

kronologier.[180] Dessa har sedan kunnat utnyttjas för "crossdating" på så sätt som framgick av fig. 43.

Vid sidan om ökad förståelse av vegetationssystemets "egen" dynamik har metoden även inneburit ökad kunskap om människans resursutnyttjande i förfluten tid. Ekosystemmanipulering med hjälp av eld, ändring av hydrologiska förhållanden etc. kan på så sätt identifieras och dateras. Tjärbränning, pottaskeframställning och träkolning kan också ofta dateras med hjälp av de brandskador som verksamheten förorsakat på kvarstående träd.[181] Även mekaniska skador i trädens *kambium* (tillväxtskiktet mellan veden och barken, vilket ännu inte bildat årsringar) kan dateras. Dessa skador bäddas nämligen mestadels in då nya årsringar bildas. Gillerplatser och fångststigar markerades ofta genom inhuggningar i träden, varigenom de har kunnat tidfästas. Även lappskattelandens utsträckning kan på så sätt identifieras i fält, liksom gränsmarkeringar mellan byarnas utmarker kan urskiljas då dessa ofta markerades i terrängen genom inhuggningar i tallar s.k. rågångstallar. Jämförelser med tillgängligt kartmaterial visar god överensstämmelse mellan kartans gränser och de i fält iakttagna. Datering av dessa inhuggningar kan visa hur lång hävd sådana gränser har.[182]

Anläggandet av dammängar medförde hydrologiska förändringar i markskiktet och därmed förändrad uppväxtmiljö för träden på platsen. Detta kan spåras i en förändrad årsringsbredd. I kombination med andra vegetationshistoriska undersökningar kan årsringsanalys ge möjligheter till datering av dammängens anläggning. Årsringsanalys av träd som växt upp i fångstgropar ger en tidsmässig hållpunkt för när gropen senast använts i fångstsyfte osv.

De arbetsmetoder med årsringsanalys som grund vilka här beskrivits och exemplifierats är ännu långtifrån fullt utarbetade. De har därför hittills mest tillämpats på senare tidsperioder där kontroll av metodens tillförlitlighet varit möjlig med hjälp av uppgifter i skriftligt material, kartor etc.

De resultat som hittills vunnits med metoden kan således inte *direkt* bidra till lösandet av de problemställningar som är centrala i denna framställning. Det har ändock känts angeläget att uppta relativt stor plats med ovanstående redogörelse. Syftet med denna har varit att ytterligare understryka de stora möjligheter som finns att även i ett långt historiskt perspektiv få kunskap om människans utnyttjande av naturresurserna i Norra Bottenviksområdet.

---

180 Se Zackrisson, Vegetation, s. 53—63; Olle Zackrisson, Influence of forest fires on the North Swedish boreal forest (Oikos 29. Copenhagen 1977), s. 22—32; Zackrisson, Skogsvegetationen, s. 220 ff; samt Zackrisson, Metoder, s. 259—268.

181 Se Zackrisson, Vegetation s. 61—67; Zackrisson, Skogsvegetationen, s. 217—225; samt Zackrisson, Metoder, s. 262—268.

182 Upptagandet av ett svedjeland föregicks ofta av att sådana inhuggningar gjordes, varigenom svedjelandets tilltänkta läge och storlek markerades. Det är därför möjligt att på nutida skogsarealer lokalisera och datera äldre svedjeland. (Zackrisson, Metoder, s. 26).

Sammanfattning

Jag har här försökt presentera några paleoekologiska forskningsmetoder. Av dessa är det vanligtvis pollenanalysen som samordnats med bebyggelsehistoriska undersökningar. Denna metod medger endast i undantagsfall några exakta dateringar. Tidsskalan är relativ förutom beträffande de nivåer som daterats med hjälp av kol 14-metoden. Det är alltså mycket sällan som de med pollenanalytisk metod vunna resultaten förmår belysa kortfristiga händelseförlopp. Men det paleoekologiska materialet inspirerar till helt andra frågeställningar än det material gör som vanligtvis är bebyggelsehistorikerns. Styrkan i den pollenanalytiska metoden ligger i, liksom beträffande övriga paleoekologiska metoder, att den erbjuder en enhetlig tolkningsram — det ekologiska perspektivet. Det blir då naturligt att analysera händelseförloppet, i vårt fall bebyggelseutvecklingen, i ett långt tidsperspektiv. Svårigheten vid tillämpningen av denna tolkningsram blir inte att spåra förändring utan att analysera och bestämma vad som förorsakat förändringen. Den förändrade pollensammansättningen på en provnivå beror ju på att något hänt vid den tid då dessa pollen fossilerades. Ett växttäckes förändring kan tänkas ha förorsakats av mänsklig verksamhet likaväl som av ett klimatskifte. Dessa två tänkbara orsaker kan dessutom stå i ett inbördes beroendeförhållande. Just det komplicerade samspelet mellan naturmiljön (klimat, berggrund, jordmån etc) och den biologiskt givna miljön (växter och djur varibland människan) gör att alla orsaksdiskussioner blir svårhanterliga. Människans val av handlingsalternativ är dessutom beroende av faktorer som samhällssystem innefattande ekonomiska villkor, politiska beslut etc. Vi har dock ovan kunnat se hur några konkreta pollenanalytiska resultat närmat oss lösningen av vårt problem, vilket visserligen var grovt formulerat men av en viss dignitet.

Vid sidan om pollenanalysen har vi även intresserat oss för ett par andra paleoekologiska forskningsmetoder. Dessa senare har ännu inte givit resultat som har direkt anknytning till vår problemställning. Men de medger en så exakt kronologi att de i detta avseende tillfredsställer den mest närsynte historiker samtidigt som de ger underlag för analys av händelseförlopp i mycket långa tidsperspektiv. Jag hoppas att det av ovanstående framställning har framgått att det först är fr o m 1970-talet som pollenanalytiska undersökningar i området genomförts där problemställningarna direkt är länkade till bebyggelsehistoriska problem. I några fall har de till och med utformats i direkt samarbete med arkeologer och historiker. Förhoppningsvis kommer även övriga paleoekologiska forskningsmetoder att mobiliseras i anknytning till sådana problem. En första förutsättning för att ett sådant samarbete skall bli fruktbärande är att företrädare för olika discipliner har insikt i de förutsättningar som gäller för tillämpningen av andra inblandade metoder utöver den egna.

Om det inte finns insikt om vilken typ av kunskap som överhuvudtaget är möjlig att uppnå vid ett sådant samarbete kan heller ej de fruktbärande problemen formuleras. Jag har här försökt visa på några av de perspektiv som de paleoekologiska metodernas tillämpning öppnar för bebyggelsehistoriken. Detta var det begränsade syftet med denna framställning.

Tiivistelmä

Hans Sundström, Rikkaruoho viljelyshistorian palveluksessa. Paleoekologiset tutkimusmenetelmät ja -tulokset, esimerkkinä Perämeren ympäristöalue

Tämän artikkelin kirjoittaja on oikeastaan historioitsija, mutta tässä yhteydessä hän haluaa osoittaa, kuinka asutushistoriallisia ongelmia voidaan ratkaista paleoekologisten tutkimustulosten avulla. Tâmä tehdään käyttäen esimerkkinä konkreettista asutushistoriallista ongelmaa — pohjoisen Pohjanlahden, Perämeren, ympäristön vanhinta asutushistoriaa.

Kirjoittaja on käsitellyt tätä ongelmaa muissa yhteyksissä taustanaan kirjallisen materiaalin analyysit.

(Kuva 1 osoittaa asutuksen levinneisyyttä alueella 1500-luvun keskivaiheilla.)

Ajoitus radioaktiivisen hiilen avulla — C 14 -kronologia

Hiili 14-menetelmä on ahkerasti käytetty keino ajoituksen määrityksessä ennen kaikkea arkeologisessa, paleoekologisessa ja geologisessa tutkimuksessa. Radioaktiivista hiili 14-isotooppia on ilman hiilidioksidissa. Kasvit käyttävät sitä yhteyttämisessä — eläimet ja ihmiset hengityksen kautta ja syödessään kasviksia (ks. kuvaa 5). Tällä tavalla kaikki organismit sisältävät hiili 14:ää. Silloin kun organismi kuolee, hiili 14 alkaa palautua perusmuotoonsa. Tämä tapahtuu tietyllä nopeudella siten, että 5730 vuoden kuluttua ainoastaan puolet alkuperäisestä määrästä on jäljellä. Hyvin varustetuissa laboratorioissa on mahdollista mitata, kuinka pitkälle tämä hajoaminen on ehtinyt. Tällä tavoin voidaan orgaaninen jäännös ajoittaa. Ajan määrittäminen ei kuitenkaan onnistu ilman metodisia vaikeuksia. On mm. laskettu, mikä puoliutumisaika on oikea. Koska ilman hiili 14 -pitoisuus ei ole myöskään ollut vakio aikojen kuluessa, täytyy mitatut hiili 14 -iät korjata tietyillä laskunormeilla (ks. kuvaa 7, joka havainnollistaa tätä). Hiili 14 -pitoisuus on alunperin voinut olla epänormaali jossakin organismissa, ja siksi saatua hiili 14 -ikää täytyy tarkentaa tätä tuntemusta hyväksi käyttäen. Tämä laboratorioissa saatu hiili 14 -pitoisuus ilmoitetaan eriasteisilla tilastotieteellisillä todennäköisyyksillä. Valitettavasti laboratorioilla on vaihtelevia käytäntöjä metodiongelmien käsittelyssä. Sen vuoksi erilaisia hiili 14 -pitoisuuksia ei ilman muuta voi verrata toisiinsa. Täytyy kiinnittää erityistä huomiota laboratorioiden "käyttöohjeisiin" ajanmäärityksiä tehtäessä. Kaikkein tärkeintä on kuitenkin se, että näytteiden ottaminen kentällä tapahtuu niin tarkasti kuin mahdollista.

Siitepölyanalyysi

Kasvit lisääntyvät siitepölyn tai itiöiden avulla. Eri kasveilla nämä eroavat toisistaan koon, muodon ja pintarakenteen suhteen (ks. kuvaa 10). Nämä ulkoiset seikat ovat tavattoman vastustuskykyisiä, niin kemialliselle kuin mekaanisellekin vaikutukselle. Siksi ne voivat säilyä tuhansia vuosia, jos ne päätyvät hapettomiin ympäristöihin kuten järvien pohjakerrostumiin tai rämeitten turvevarastoihin. Tuoreitten kasviyhteisöjen tutkimuksen avulla tunnetaan eri kasvien ympäristöedellytykset, keskinäiset suhteet sekä eläinten ja ihmisten toiminnan aiheuttamat reaktiot. Kasvin esiintymispaikka antaa välittömästi tietoja esiintymispaikan ympäristöstä sekä siitä, mitä toimintaa siellä esiintyy tai on esiintynyt. Pohjakerrostumien siitepöly ja rämeitten turvevarastot eivät todista ainoastaan menneitten aikojen kasvikunnasta, vaan myös viljelymaiseman muodostumisesta ja sen muuttumisesta eri aikakausina.

Tällaisia siitepölytutkimuksia on tehty koko joukko Perämeren alueella (ks. kuvaa 24 ja 26). Vaikkakin eri tutkimusten tulokset voivat vaihdella yksityiskohdissaan, yleismalli on kuitenkin yhdenmukainen. Alue on ollut viljeltynä kauan, paljon pidempään kuin aikaisemmin on oletettu.

Kaikilla tutkimusalueilla on jälkiä viimeistään 1000—1100-luvuila e.Kr. harjoitetusta karjanhoidosta ja viljanviljelyksestä. Vaikkakin suuria aloja mm. ruista, ohraa ja kauraa on ollut läikkinä laajoissa kuusimetsissä, ovat voimakkaasti kasvavat laidunmaat olleet kulttuurimaiseman silmiinpistävin piirre.

Vuosikerrostuneiden järvisedimenttien analyysi

Järvien pohjakerrostumat muodostuvat mm. rikkirapautuneista kallio- ja maalaaduista, kemiallisista saostumisista sekä kasvien ja eläinten jäänteistä. Viimeksimainittujen joukossa informatiivisimman osan käsittävät heti mikroskooppisen pienten piilevien (diatomit) jälkeen lajityypilliset luurangot (ks. kuvaa 36). Nämä levät ovat usein erittäin herkkiä veden lämmön, suolapitoisuuden, happamuuden jne. vaihteluille. Eri pohjakerrostumien koostumus tiedottaa siis eri tavoin järven ja sen lähiympäristön miljööstä.

Kerrostumien intensiteetti ja sisältö vaihtelevat eri vuodenaikoina ja jopa eri vuosina. Tiettyjen järvien pohjakerrostumista ei voida lukea ainoastaan eri vuosikerroksia (ks. kuvaa 35), vaan tietyissä tapauksissa jopa kerrostumisessa tapahtuneet erot eri vuorokausina. Sellaisten analyysien tulokset eivät anna tietoja ainoastaan ympäristönmuutoksista, vaan mahdollistavat myös sen, että nämä voidaan ajoittaa tarkasti. Jatkuva menetelmien kehittyminen etenkin näytteidenottotekniikassa lisää tämän tutkimuksen mahdollisuuksia.

Tämä tutkimusmenetelmä on monin tavoin kiinnostava asutushistoriallisen tutkimuksemme kannalta. Valitettavasti näitä tutkimuksia ei ole tehty Perämeren ympäristöalueen järvissä. Useilla järvillä voidaan kuitenkin olettaa olevan vuosikerrostuneet pohjasedimentit, mm. Iso-Mustajärvellä.

Puiden vuosirengasanalyysi

Puiden vuosirenkaat ilmoittavat puun iän. Renkaiden leveys tiedottaa vuosikasvun määrästä ja niistä ympäristötekijöistä, jotka ovat olleet vallitsevia kunakin vuonna. Eri-ikäisillä puilla, jotka ovat kasvaneet samalla paikalla, ja joilla on osittain yhteinen elinaika, on näinä yhteisinä kasvuvuosina samanlainen vuosirengaskuvio (ks. kuvaa 39). Yhdistelemällä huomioita useista vanhoista puista voidaan tällä tavalla laatia pitkiä sarjoja vuosirengasvaihteluista ja siis hakeutua yhä kauemmaksi ajassa taaksepäin (ks. kuvaa 40).

Kaikilla puilla ei tosin ole havaittavia vuosirenkaita, mutta mm. männyllä ja kuusella vuosirenkaat ovat todettavissa. Nykyaika lähtökohtana on siis mahdollista päästä ajassa taaksepäin enemmän kuin tuhat vuotta. Myös ylisen Norrlannin puukanta on tullut useiden dendrokronologisten tutkimusten kohteeksi. Näiden avulla on saatu tietoja siitä, miten ihminen on käyttänyt hyväkseen luonnonvaroja eri aikakausina. Sellaiset tutkimukset osoittavat metodissa olevia mahdollisuuksia valaista asutushistoriallisia ongelmanasetteluita.

Loppulause

Aikaisemmin tutkimuksissa on yleisesti oletettu, että alue on ollut asumaton myöhäiskeskiajalle. Vasta ajan lopulla tapahtui voimakas muuttoliike, luultiin. Nykyisen käsityksen mukaan kehitys on ollut toinen. Tähän tutkimustulokseen päätymiseen on paleoekologisilla tutkimuksilla ollut ratkaiseva merkitys. Tätä taustaa vasten on aivan selvää, että osa alueista on ollut viljeltyä kauan, kauan ennen kuin aiemmin luultiin. Näin paleoekologiset tutkimustulokset ovat täydentäneet niitä tuloksia, joita on saatu nimimateriaalianalyysin sekä arkeologisen ja kirjallisen materiaalin avulla. Nämä tutkimukset on suurelta osaltaan tehty ruotsalais-suomalaisen monitieteellisen yhteistyön puitteissa, ''Tornionlaakson varhaisasutustutkimuksen'' tutkimusryhmässä, jonka jäsen tämän artikkelin kirjoittajakin on.